D1239337

CLÊ
POUR LA
GRAMMAIRE

COLLECTION CLÉ

ANNE-MARIE CONNOLLY

CLÉ POUR LA GRAMMAIRE

avec la participation de

Marie-France Dussault, Claude Saint-Laurent,
Monique Francoeur, Françoise Noël, Michel David,
Réjean Blais, Yvonne Beaumont, Jean-Paul Simard

guérin Montréal
Toronto
4501, rue Drolet
Montréal (Québec) H2T 2G2 Canada
(514) 842-3481

© *Guérin, éditeur Ltée, 1988*
Tous droits réservés.
Il est
interdit de
reproduire,
d'enregistrer ou
de diffuser, en tout
ou en partie, le
présent ouvrage par
quelque procédé que ce soit,
électronique, mécanique,
photographique, sonore, magnétique
ou autre, sans avoir obtenu au
préalable l'autorisation écrite de l'éditeur.
Dépôt légal, 2e trimestre 1988
ISBN-2-7601-2190-9
Bibliothèque nationale du Québec
Bibliothèque nationale du Canada
IMPRIMÉ AU CANADA

Page couverture: Nicole de Passillé
Révision linguistique: Linda T. Morasse

TABLE DES MATIÈRES

Première partie
L'ORTHOGRAPHE D'USAGE

la graphie du son *an* 9

la graphie du son *è* 10

la graphie du son *é* à la fin d'un nom ou d'un adjectif 11

la graphie du son *i* à la fin d'un nom ou d'un adjectif 13

la graphie du son *in* 15

la graphie du son *anse* 16

la graphie du son *sion* 18

la graphie du son *s* 20

la graphie des sons *gu... g, qu... c* 22

la graphie des sons *aj* (ail), *ej* (eil), *oej* (euil, ueil), *uj* (ouil), *ij* (ille) 24

l'emploi de *m* devant *m*, *p* et *b* 26

le redoublement du *c* 27

le redoublement du *m* 29

le redoublement du *t* 31

le redoublement du *l* 34

le redoublement du *r* 38

le redoublement du *n* 42

le redoublement du *p* 45

le redoublement du *f* 47

les mots commençant à l'oral par une voyelle 49

les noms de lieux 50

les noms de peuples 52

la ponctuation 54

les abréviations et les symboles 59

Deuxième partie
L'ORTHOGRAPHE GRAMMATICALE

LE VERBE

la finale des verbes 67

les verbes à la 2e personne du singulier 69

les verbes à la 3e personne du singulier 70

les homophones 71

la graphie du son *i* à la fin d'un verbe 72

la graphie du son *é* à la fin d'un verbe 73

la graphie du son *é* à la fin d'un verbe (ce verbe est précédé
d'un autre verbe et d'un pronom personnel) 74

la graphie du son *é* à la fin d'un verbe (ce verbe est précédé
de l'auxiliaire *avoir* à la forme négative) 76

la graphie du son *é* à la fin d'un verbe (ce verbe est précédé
de l'auxiliaire *être* à la forme négative) 78

la graphie du son *é* à la fin d'un verbe (ce verbe est précédé
d'un autre verbe à la forme négative) 80

la graphie du son *é* à la fin d'un verbe (récapitulation) 82

l'accord du verbe 83

l'accord du verbe (le sujet est séparé du verbe par
un pronom personnel) 85

l'accord du verbe (le sujet est le pronom *on*) 87

l'accord du verbe (le sujet est séparé du verbe par une
apposition ou par une proposition relative) 89

l'accord du verbe (le sujet est un nom collectif sans
complément) 91

l'accord du verbe (plusieurs sujets de personnes différentes) 92

l'accord du verbe (le sujet est le pronom relatif *qui*) 93

l'accord du verbe (le sujet est encadré par l'expression
c'est... qui) 94

l'accord du verbe (le sujet suit le verbe) 96

l'accord du verbe (le sujet est un nom collectif ou un adverbe
de quantité suivis d'un complément) 98

l'accord du verbe (les sujets sont joints par *ou* ou par *ni*) 105

l'accord du verbe (les sujets sont joints par *ainsi que*, *comme*,
aussi bien que, *autant que*, *de même que*, etc.) 107

l'accord du verbe (le sujet est le pronom démonstratif *ce* ou *c'*) 109

l'infinitif en *-er* ou le participe passé en *-é* 110

l'accord du participe passé (employé seul ou avec *être, paraître, sembler, devenir, rester)* 112

l'accord du participe passé (l'auxiliaire est *avoir*, il n'y a pas de complément d'objet) 113

l'accord du participe passé (l'auxiliaire *avoir* est précédé d'un pronom personnel) 114

l'accord du participe passé (les règles principales — récapitulation) 116

l'accord du participe passé (employé avec *avoir* et suivi d'un infinitif) 120

l'accord du participe passé (les verbes pronominaux) 123

l'accord du participe passé (les cas particuliers) 127

dû... du 132

le verbe *pouvoir* 133

le verbe *faire* 134

le subjonctif et l'impératif d'*être* et d'*avoir* 135

le subjonctif de *vouloir* et de *pouvoir* 135

le futur et le conditionnel de *mourir* et de *courir* 137

l'orthographe des verbes comme *semer, lever*, etc. 138

l'orthographe des verbes *vaincre, s'asseoir, bouillir, coudre, rompre, acquérir, mouvoir* 139

les verbes qui se terminent par *-cer* 149

les verbes qui se terminent par *-ger* 150

les verbes qui se terminent par *-eler* et par *-eter* 151

les verbes qui se terminent par *-yer* 153

les verbes qui se terminent par *-aître* et par *-oître* 155

les verbes qui se terminent par *-indre* et par *-soudre* 157

LE NOM

le masculin et le féminin des noms 160
le pluriel des noms 162
le pluriel des noms qui se terminent par -ou 164
le pluriel des noms qui se terminent par -eu 165
le pluriel des noms qui se terminent par -au 166
le pluriel des noms qui se terminent par -al 167
le pluriel des noms qui se terminent par -ail 168
le pluriel des noms (récapitulation) 169
les noms qui se terminent par -é et par -ée 170
le complément du nom 171
le mot en apposition 172
le pluriel des noms composés 173
le pluriel des noms propres 176

L'ADJECTIF ET L'ADVERBE

l'accord de l'adjectif 179
les adjectifs qui se terminent par -et et par -c 181
le pluriel des adjectifs qui se terminent par -eu 182
le pluriel des adjectifs qui se terminent par -au 183
le pluriel des adjectifs qui se terminent par -al 184
les adjectifs féminins qui se terminent par -guë 185
l'accord des adjectifs composés 186
les mots désignant la couleur 188
tout 191
quel 195
quelque... quel que 197
possible 199
tel 200
même 202
demi, nu, vingt, cent, mille 204
les adjectifs et les participes passés employés comme adverbes
     ou comme prépositions 207

LES HOMOPHONES

a... à 212

ce... se 214

cet... cette 215

ces.. ses 216

c'est... s'est 218

mais... mes 220

on... ont 221

son... sont 224

ça... sa 226

là... la... l'a 228

où... ou 230

peu... peux... peut 232

sûr... sur 234

d'avantage... davantage 235

leur... leurs 236

près... prêt 237

plutôt... plus tôt 238

aussitôt... aussi tôt 239

sans... s'en 240

dans... d'en 241

donc... dont 242

quand... quant... qu'en 243

parce que... par ce que 245

quoique... quoi que 247

quelle... qu'elle 249

quelque... quel que 252

quelquefois... quelques fois 255

Première partie
L'ORTHOGRAPHE D'USAGE

la graphie du son *an*

la graphie du son *è*

la graphie du son *é* à la fin d'un nom ou d'un adjectif

la graphie du son *i* à la fin d'un nom ou d'un adjectif

la graphie du son *in*

la graphie du son *anse*

la graphie du son *sion*

la graphie du son *s*

la graphie des sons *gu... g, qu... c*

la graphie des sons *aj* (ail), *ej* (eil), *oej* (euil, ueil),
   uj (ouil), *ij* (ille)

l'emploi de *m* devant *m*, *p* et *b*

le redoublement du *c*

le redoublement du *m*

le redoublement du *t*

le redoublement du *l*

le redoublement du *r*

le redoublement du *n*

le redoublement du *p*

le redoublement du *f*

les mots commençant à l'oral par une voyelle

les noms de lieux

les noms de peuples

la ponctuation

les abréviations et les symboles

LA GRAPHIE DU SON *AN*

☐ OBSERVEZ BIEN LES MOTS SUIVANTS.

bilan	étang	accent
enfant	blanc	encens
goéland	camp	hareng
sans	en	paon

☆ RÈGLE

Le son **an** peut s'écrire **an, ant, and, ans, ang, anc, amp, en, ent, ens, eng** et **aon** selon le cas.

POUR APPLIQUER LA RÈGLE

a) **Classez les mots suivants en trois colonnes: une de verbes, une de noms et une autre d'adjectifs. Attention! Certains mots peuvent s'écrire dans plus d'une colonne.**

effrayant	sergent	éléphant	content
instant	éminent	gluant	savant
absent	tremblant	perdant	élégant
traversant	brillant	charmant	affluent
changeant	marchant	enfant	négligent

b) **Parmi les mots de l'exercice précédent, quels sont ceux qui sont des participes présents?**

c) **Dans le dictionnaire, cherchez dix adverbes de manière (adv.) qui se terminent par *ment*.**

d) **Employez les mots suivants dans de courtes phrases.**

dans / dent / d'en	temps / tant / taon / t'en
camp / quand / qu'en	sans / sang / cent / s'en / sent

e) **Comment s'écrit le préfixe qui veut dire *dedans*? Pourquoi *an* et *en* s'écrivent-ils parfois *am* et *em*?**

ancêtre	ambassade	encadrer	embarquer
ange	ambiance	encercler	embouteiller
antenne	ampoule	enfermer	emprisonner

☆ RÈGLE

Devant **b** et devant **p, an** et **en** s'écrivent **am** et **em**.
   Ex.: *am*bassade, *am*poule, *em*barquer, *em*prisonner.

LA GRAPHIE DU SON *È*

◼ OBSERVEZ BIEN LES MOTS SUIVANTS.

père	fraîche	fête
céleri	neige	Noël
caisse	bec	jouet

☆ RÈGLE

Le son **è** peut s'écrire **è, é, ai, aî, ei, e, ê, ë** et **et** selon le cas.

POUR APPLIQUER LA RÈGLE

a) **Trouvez trois homonymes pour chacun des mots suivants et donnez-en une courte définition.**

ver	mère	père	cher

b) **Avec un camarade et à l'aide du dictionnaire, trouvez cinq mots sur le modèle des mots suivants.**

laisse	éternelle	fête	calorifère

c) **Quel est le sens des mots suivants?**

mais	mets	met	mes

d) **Phonétiquement, le son è se transcrit [ɛ].**

Ainsi, le mot *père* se transcrit [pɛʀ] en langage phonétique.

À l'aide du dictionnaire, trouvez comment se transcrivent les mots suivants en langage phonétique.

fête	grêle
repère	modèle
bec	manivelle
serre	événement
seigle	secret

LA GRAPHIE DU SON É À LA FIN D'UN NOM OU D'UN ADJECTIF

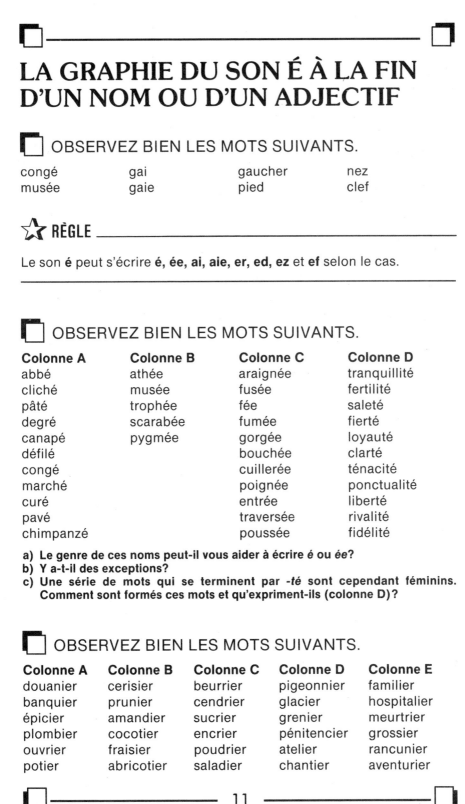

■ OBSERVEZ BIEN LES MOTS SUIVANTS.

congé	gai	gaucher	nez
musée	gaie	pied	clef

☆ RÈGLE

Le son **é** peut s'écrire **é, ée, ai, aie, er, ed, ez** et **ef** selon le cas.

■ OBSERVEZ BIEN LES MOTS SUIVANTS.

Colonne A	Colonne B	Colonne C	Colonne D
abbé	athée	araignée	tranquillité
cliché	musée	fusée	fertilité
pâté	trophée	fée	saleté
degré	scarabée	fumée	fierté
canapé	pygmée	gorgée	loyauté
défilé		bouchée	clarté
congé		cuillerée	ténacité
marché		poignée	ponctualité
curé		entrée	liberté
pavé		traversée	rivalité
chimpanzé		poussée	fidélité

a) **Le genre de ces noms peut-il vous aider à écrire é ou ée?**
b) **Y a-t-il des exceptions?**
c) **Une série de mots qui se terminent par -té sont cependant féminins. Comment sont formés ces mots et qu'expriment-ils (colonne D)?**

■ OBSERVEZ BIEN LES MOTS SUIVANTS.

Colonne A	Colonne B	Colonne C	Colonne D	Colonne E
douanier	cerisier	beurrier	pigeonnier	familier
banquier	prunier	cendrier	glacier	hospitalier
épicier	amandier	sucrier	grenier	meurtrier
plombier	cocotier	encrier	pénitencier	grossier
ouvrier	fraisier	poudrier	atelier	rancunier
potier	abricotier	saladier	chantier	aventurier

a) Quel est le genre des mots qui se terminent par *-ier*?
b) Quels sont les différents sens que l'on peut attribuer au suffixe *-ier*?
c) Le féminin des noms et adjectifs des colonnes A et E peut-il vous aider à trouver la finale du masculin?

☆ RÈGLE

Les noms masculins se terminent généralement par **-é,** les noms féminins par **-ée.**

Ex.: *un marché, **une fusée.***

Certains noms qui expriment une qualité et qui sont formés à partir d'adjectifs s'écrivent **-té** même s'ils sont féminins.

Ex.: *la liberté, la fidélité.*

Certains noms de métier, d'arbre, de contenant, de lieu, et certains adjectifs indiquant la qualité se terminent par le son **é** mais s'écrivent **-er.**

Ex.: *un épicier, un cerisier, un sucrier, un grenier, familier.*

LA GRAPHIE DU SON *I* À LA FIN D'UN NOM OU D'UN ADJECTIF

 OBSERVEZ BIEN LES MOTS SUIVANTS.

abri	avis	bandit	prairie	prix
appui	vernis	bruit	écurie	perdrix
défi	débris	lit	envie	crucifix
cri	mépris	esprit	incendie	
rôti	souris	fruit	partie	
ennui	radis	récit	pluie	
étui	paradis	délit	poésie	
pli	tapis	répit	série	
oubli	colis	crédit	sortie	
établi	logis	profit	énergie	
bigoudi	marquis	conflit	industrie	
ennemi	brebis	appétit	maladie	

a) Relevez les différentes façons d'écrire le son *i*.
b) Le genre des mots peut-il vous fournir des indications sur la façon de les écrire?

☆ RÈGLE

Le son **i** peut s'écrire **i, is, it, ie** ou **ix** selon le cas.
Les noms féminins qui se terminent par le son **i** s'écrivent généralement **-ie**.

Ex.: *une prairie, une série, une maladie.*

 OBSERVEZ BIEN LES MOTS SUIVANTS.

définie/défini	grise/gris	cuite/cuit
unie/uni	assise/assis	bénite/bénit
pourrie/pourri	précise/précis	écrite/écrit
fleurie/fleuri	promise/promis	petite/petit
choisie/choisi	permise/permis	inscrite/inscrit
réussie/réussi	soumise/soumis	traduite/traduit
bâtie/bâti	apprise/appris	produite/produit
enlaidie/enlaidi	acquise/acquis	détruite/détruit
étourdie/étourdi	indécise/indécis	interdite/interdit
vieillie/vieilli	entreprise/entrepris	construite/construit

Le féminin de ces adjectifs peut-il vous aider à trouver la finale du masculin?

☆ RÈGLE

Pour écrire correctement les adjectifs masculins qui se terminent par le son **i,** on part de la forme féminine et on enlève le **e** final.
   Ex.: *cuite/cuit, promise/promis.*

LA GRAPHIE DU SON *IN*

■ OBSERVEZ BIEN LES MOTS SUIVANTS.

vin	saint	faim	pain	teint	lin
vingt	sain	feint	pin	thym	lynx
vain	cinq	fin	peint		
vint	ceint				
vaincs	sein				
	seing				

a) **Relevez toutes les façons d'écrire le son *in*.**
b) **Distinguez ces mots en donnant leur signification.**

☆ RÈGLE

Le son **in** peut s'écrire **in, ingt, ain, int, aincs, aint, inq, eint, ein, eing, aim, ym** et **yn** selon le cas.

■ OBSERVEZ BIEN LES MOTS SUIVANTS.

Colonne A		Colonne B	
lointain	plein	citoyen	lien
plainte	bassin	doyen	mien
prochain	chagrin	moyen	musicien
train	grincer	chrétien	quotidien
vainqueur	pinceau	chien	rien
ceinture	faim	combien	examen
teinte		gardien	

a) **De quel son est toujours précédé le son *in* dans la colonne B?**
b) **Comment le son *in* s'écrit-il dans ce cas?**
c) **Y a-t-il une exception?**

☆ RÈGLE

Quand le son **in** est précédé du son **j**, il s'écrit **en**.
   Ex.: *citoyen, chien, musicien.*
   Exception: *examen.*

LA GRAPHIE DU SON *ANSE*

☐ OBSERVEZ BIEN LES MOTS SUIVANTS.

anse	immense	tendance	licence	sens
ganse	danse	vacance	cadence	
transe	intense	romance	faïence	
	défense	aisance	science	
	suspense	rance	silence	
		chance	semence	
		séance	diligence	
		nuance	révérence	
			pénitence	
			conséquence	

a) **Combien y a-t-il de façons d'écrire le son *anse*?**
b) **Quelle graphie vous semble la plus fréquente?**

☆ RÈGLE

Le son **anse** s'écrit **-anse, -ense, -ance, -ence** et **ens** selon le cas.

☐ OBSERVEZ BIEN LES MOTS SUIVANTS.

il danse	il récompense	il balance	il commence
il panse	il pense	il finance	
	il dépense	il lance	
	il offense	il avance	
	il dispense	il élance	
	il condense	il devance	

Quelles sont les graphies les plus fréquentes du son *anse* à la finale des verbes?

OBSERVEZ BIEN LES MOTS SUIVANTS.

apparaître/apparence   gérer/gérance   tolérer/tolérance
exister/existence   assister/assistance   confier/confiance
influer/influence   croire/croyance   venger/vengeance
référer/référence   correspondre/   allier/alliance
    correspondance   se méfier/méfiance
naître/naissance   abonder/abondance
assurer/assurance
ignorer/ignorance
espérer/espérance

a) Lorsque le mot terminé par le son *anse* vient d'un verbe, comment l'écrit-on le plus souvent?

b) Quel est le sens des suffixes *-ence* et *-ance*?

OBSERVEZ BIEN LES MOTS SUIVANTS.

enfant/enfance   urgent/urgence   résident/résidence
élégant/élégance   absent/absence   éloquent/éloquence
ambiant/ambiance   prudent/prudence   évident/évidence
constant/constance   violent/violence   patient/patience
puissant/puissance   présent/présence
abondant/abondance   innocent/innocence
distant/distance   insolent/insolence

De quelle façon l'adjectif apparenté au mot terminé par le son *anse* peut-il vous aider à bien écrire ce mot?

☆ RÈGLE

Lorsque le mot terminé par le son **anse** vient d'un verbe, on l'écrit généralement **-ance**.

   Ex.: *croire/croyance, espérer/espérance.*

Lorsque l'adjectif apparenté se termine par **-ant**, le nom s'écrit **-ance**, lorsqu'il se termine par **-ent**, le nom s'écrit **-ence**.

   Ex.: *puissant/puissance, présent/présence.*

LA GRAPHIE DU SON *SION*

 OBSERVEZ BIEN LES MOTS SUIVANTS.

confession	sécrétion	relation	collection
profession	lotion	situation	conviction
impression	notion	vocation	réaction
possession	émotion	habitation	fraction
obsession	ambition	circulation	traction
permission	audition	nation	élection
démission	position	ration	sanction
mission	élocution	association	intersection
admission	pollution	opération	(ré)flexion
discussion	évolution	passion	annexion

a) **Relevez les différentes graphies du son *sion*.**
b) **Pouvez-vous, en examinant la voyelle ou la consonne qui précède le son *sion*, trouver comment il faut écrire ce dernier?**
c) **Y a-t-il des exceptions?**

★ RÈGLE

Le son **sion** s'écrit généralement **-tion** après **a, o, u**, et après le son **k**.
    Ex.: *relation, émotion, pollution, collection.*
    Exceptions: *passion, discussion, (ré)flexion, annexion.*

 OBSERVEZ BIEN LES MOTS SUIVANTS.

Colonne A	Colonne B	Colonne C	Colonne D
commission	dimension	lésion	option
soumission	pension	vision	portion
cession	conversion	évasion	déception
session	tension	occasion	édition
pression	version	invasion	sécrétion
succession	excursion	division	caution

a) **Y a-t-il une autre graphie du son *sion*?**
b) **Pouvez-vous, en examinant la nature de la lettre qui précède le son *sion*, dire si l'on écrira -sion ou -ssion (colonnes A et B)?**
c) **Après une voyelle, y a-t-il un moyen de savoir si l'on écrira -sion ou -ssion (colonnes A et C)?**
d) **Retrouve-t-on la graphie -tion après une voyelle seulement, après une consonne seulement ou après les deux (colonne D)?**

Le son **sion** s'écrit généralement **-sion** après une consonne et **-ssion** après **i** et **é**.

Ex.: *version, excursion, commission, pression.*

Exceptions: *option, portion, déception, édition, ambition, audition, position, sécrétion.*

Le son **zion** que l'on retrouve après une voyelle s'écrit **-sion**.

Ex.: *lésion, vision, occasion.*

LA GRAPHIE DU SON *S*

☐ OBSERVEZ BIEN LES MOTS SUIVANTS.

chanson   concert   attention
tasse   leçon   piscine

☆ RÈGLE

Le son **s** peut s'écrire **s, ss, c, ç, t** ou **sc** selon le cas.

POUR APPLIQUER LA RÈGLE

a) **Complétez les mots suivants en écrivant** *s, ss, c, ç, t* **ou** *sc* **à l'endroit voulu.**

para . . . ol   adre . . . e   op . . . ion
ra . . . ion   adole . . . ent   di . . . ipline
fa . . . ade   vrai . . . emblable   boi . . . on
mer . . . i   soup . . . on   auda . . . e

b) **Le son** *sion* **peut s'écrire** *-sion, -ssion* **ou** *-tion*. **À vous de compléter correctement les mots suivants avec** *s, ss* **ou** *t*.

impre . . . ion   excur . . . ion   posi . . . ion
propor . . . ion   obse . . . ion   conven . . . ion
discu . . . ion   pen . . . ion   ten . . . ion
conver . . . ion   émi . . . ion   exécu . . . ion

c) **Cherchez dans le dictionnaire la transcription phonétique des mots suivants.**

tournesol   préface   idiotie
graisse   tronçon   faisceau

☐ OBSERVEZ BIEN LES MOTS SUIVANTS.

façade   leçon   aperçu   race   ceci
commerçant   garçon   gerçure   certain   cigare
elle avança   maçon   reçu   pouce   cirque

Dans quels cas doit-on écrire *c* **avec une cédille?**

☆ RÈGLE

Le son **s** s'écrit **ç** devant **a, o, u** et **c** devant **e** et **i**.
Ex.: *façade, leçon, gerçure, race, ceci.*

☐ OBSERVEZ BIEN LES MOTS SUIVANTS.

astucieux	ambitieux
audacieux	prétentieux
capricieux	superstitieux
silencieux	infectieux

Plusieurs adjectifs se terminent par le son *cieux* qui peut s'écrire *-cieux* ou *-tieux*. Les noms qui correspondent à ces adjectifs peuvent-ils vous aider à les écrire correctement?

☆ RÈGLE

L'adjectif terminé par le son **cieux** s'écrit **-cieux** si le nom dont il dérive se termine par **-ce**, et **-tieux** si le nom dont il dérive se termine par **-tion**.
Ex.: *astu**ce**/astu**cieux**, ambi**tion**/ambi**tieux**.*

LA GRAPHIE DES SONS
GU...G, QU...C

 OBSERVEZ BIEN LES MOTS SUIVANTS.

garderie	guerre	géant
garnement	guêpe	ranger
golfe	naviguer	nageoire
gorille	guitare	gibet
aigu	guide	girafe
argument	aiguisé	agile

Le son **gu** s'écrit **g** devant **a, o, u** et **gu** devant **e** et **i**.
   Ex.: *g*arderie, *g*olfe, ai*g*u, **gu**erre, **gu**itare.
Lorsque **g** est suivi de **e** et de **i**, il se prononce **je**.
   Ex.: *g*éant, *g*ibet.

 OBSERVEZ BIEN LES MOTS SUIVANTS.

éduquer	expliquer	indiquer	embarquer	éduquant
éducation	explication	indication	embarcation	expliquant
éducateur	explicable	indicateur	embarquement	indiquant
éducatif	explicatif	indicatif	embarcadère	embarquant

a) **En examinant la voyelle qui suit *qu* ou *c*, pouvez-vous trouver une règle pour écrire correctement ces mots?**
b) **Les mots de la dernière colonne ne semblent pas suivre cette règle. Pouvez-vous expliquer pourquoi?**
c) **Que pouvez-vous dire des mots suivants?**
      remorquer/remorquage
      attaquer/inattaquable
      claquer/claquage
      truquer/truquage

OBSERVEZ BIEN LES MOTS SUIVANTS.

naviguer/navigateur
déléguer/délégation
fatiguer/infatigable
irriguer/irrigation
conjuguer/conjugaison
longueur/élongation

☆ RÈGLE

Les mots qui dérivent de verbes se terminant par **-quer** ou par **-guer** perdent généralement leur **u** devant **a** sauf s'il s'agit du participe présent.

Ex.: *éduquer*→*éducation* / *éducateur* / *éduquant.*

naviguer→*navigation* / *navigateur* / *naviguant.*

Exceptions: *remorquage, inattaquable, claquage, truquage.*

POUR APPLIQUER LA RÈGLE

a) La règle que l'on vient de formuler rend-elle compte des exemples suivants? Expliquez chaque cas.

1. un été **suffocant** / Il est mort en **suffoquant.**
2. un air **provocant** / Elle a fui en **provoquant** un embouteillage.
3. un vase **communicant** / Je l'ai appris en **communiquant** avec le patron.
4. un argument **convaincant** / Il m'a convaincu en **convainquant** son père.
5. un poste **vacant** / Il chantait en **vaquant** à ses occupations.
6. un petit **fabricant** / Il gagne sa vie en **fabriquant** des objets d'art.
7. un exercice **fatigant** / Il a terminé son exercice en se **fatiguant** beaucoup.
8. un ambitieux **intrigant** / Ce crime, en **intriguant** la police, passionne l'opinion.

b) Pourquoi les trois mots suivants sont-ils des exceptions à la règle?

un délinquant   un pratiquant   un trafiquant

LA GRAPHIE DES SONS *AJ (ail), EJ (eil), ŒJ (euil, ueil), UJ (ouil), IJ (ille)*

▢ OBSERVEZ BIEN LES MOTS SUIVANTS.

aiguille	chenille	guenille	tranquille
bacille	croustille	mille	je vacille
béquille	espadrille	j'oscille	vanille
brindille	je gaspille	papille	ville
cédille	gorille	torpille	vrille

⭐ RÈGLE

Le son **ij** s'écrit **-ille** même pour les noms masculins.
> **Ex. :** *une chenille, un gorille.*

Certains noms qui s'écrivent **-ille** se prononcent **il** et non **ij**.
> **Ex. :** *bacille, mille, tranquille, ville.*

▢ OBSERVEZ BIEN LES MOTS SUIVANTS.

ail	caille	appareil	abeille
bail	canaille	conseil	corbeille
bétail	cisaille	orteil	corneille
corail	écaille	réveil	oreille
émail	entaille	sommeil	oseille
éventail	faille	vermeil	veille
gouvernail	ferraille		vieille
portail	grisaille		
soupirail	muraille		
vitrail	pagaille		

⭐ RÈGLE

Les sons **aj** et **ej** s'écrivent **-ail** et **-eil** quand le mot est masculin.
Les sons **aj** et **ej** s'écrivent **-aille** et **-eille** quand le mot est féminin.
> **Ex. :** *un éventail / une canaille, un réveil / une abeille.*

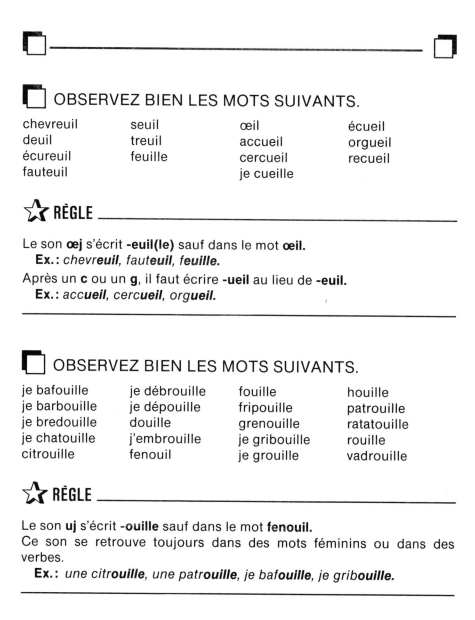

▪ OBSERVEZ BIEN LES MOTS SUIVANTS.

chevreuil	seuil	œil	écueil
deuil	treuil	accueil	orgueil
écureuil	feuille	cercueil	recueil
fauteuil		je cueille	

☆ RÈGLE

Le son **œj** s'écrit **-euil(le)** sauf dans le mot **œil**.
   Ex.: *chevreuil, fauteuil, feuille.*
Après un **c** ou un **g**, il faut écrire **-ueil** au lieu de **-euil**.
   Ex.: *accueil, cercueil, orgueil.*

▪ OBSERVEZ BIEN LES MOTS SUIVANTS.

je bafouille	je débrouille	fouille	houille
je barbouille	je dépouille	fripouille	patrouille
je bredouille	douille	grenouille	ratatouille
je chatouille	j'embrouille	je gribouille	rouille
citrouille	fenouil	je grouille	vadrouille

☆ RÈGLE

Le son **uj** s'écrit **-ouille** sauf dans le mot **fenouil**.
Ce son se retrouve toujours dans des mots féminins ou dans des verbes.
   Ex.: *une citrouille, une patrouille, je bafouille, je gribouille.*

L'EMPLOI DE *M* DEVANT *M*, *P* ET *B*

OBSERVEZ BIEN LES MOTS SUIVANTS.

chanson / champignon
tondeuse / tombeau
entourer / emmener
rentier / remplir
sentier / semblable

☆ RÈGLE

Devant **m**, **p** et **b**, il faut écrire **m** au lieu de **n**.
Ex.: *emmener, remplir, tombeau.*
Exceptions: *bonbon, bonbonne, bonbonnière, embonpoint,*
néanmoins.

POUR APPLIQUER LA RÈGLE

a) Écrivez le contraire des mots suivants.

patient	mobile
pitoyable	mortel
buvable	parfait
déménager	pénétrable
mangeable	personnel

b) Donnez le verbe qui correspond aux expressions suivantes.
   Ex.: *mettre dans un sac* = *ensacher*

mettre en poche	orner d'un ruban
rendre laid	poudrer de farine
rendre ivre	mettre en terre
rendre beau	mettre en flamme
bourrer de paille	mettre en paquet
monter en barque	mettre en bouteille

c) Complétez les mots suivants.

e . . . pire	plo . . . b	co . . . pter
co . . . te . . . pler	e . . . ploi	e . . . ja . . . ber
co . . . pagnon	do . . . pter	
o . . . brage	co . . . bat	

LE REDOUBLEMENT DU *C*

▢ OBSERVEZ BIEN LES MOTS SUIVANTS.

accueil	écueil	bercail	accourir
picoter	accablé	escorte	accessoire

☆ RÈGLE

La lettre **c** ne redouble pas après une consonne.
   Ex. : *bercail, escorte, parcours.*
En général, elle redouble après une voyelle.
   Ex. : *accueil, occuper, occasion.*
Attention! Il y a beaucoup d'exceptions: *écrivain, académie, écart,* etc.

POUR APPLIQUER LA RÈGLE

a) **En ajoutant un préfixe, trouvez les verbes dérivés des noms suivants.**
   Ex. : *clameur / acclamer.*

climat	coutume	crédit
compagnon	couche	couple

b) **Consultez le dictionnaire au mot *accablant*. Combien y a-t-il de mots commençant par *acc*-? Écrivez dix de ces mots que vous avez déjà lus ou entendus.**

c) **Remplacez, dans les mots suivants, deux lettres qui se suivent par *cc* pour former un mot nouveau.**

annoter	attablé	impensable	sauvage

d) **Formez un mot nouveau en remplaçant une ou deux lettres des mots suivants par *c* ou *cc*.**

salade	pivoter	amuser	abord

e) **Écrit-on *c* ou *cc* dans les mots suivants?**

ar . . . ade	es . . . alade	al . . . ôve
cer . . . ueil	embus . . . ade	pan . . . arte

f) **En consultant le dictionnaire, trouvez dix mots commençant par *ec*-. Que constatez-vous?**

g) **Faites la même recherche pour les mots commençant par *oc*-. Que constatez-vous?**

☆ RÈGLE

Les mots qui commencent par **ec-** s'écrivent généralement avec un seul **c.**

    Ex.: *écorce, écaille, écriteau.*

Le son **k** s'écrit avec deux **c** lorsqu'il est entre voyelles.

    Ex.: *occasion, occuper, occulte.*

    Exception: *oculiste.*

LE REDOUBLEMENT DU *M*

◻ OBSERVEZ BIEN LES MOTS SUIVANTS.

domicile / dommage
costume / commode
drame / gramme
économie / commis
maman / mammifère

image / immédiat
légume / gomme
flamant / flamme
baume / pomme
escrime / commère

Il existe autant de mots qui s'écrivent *m* ou *mm*, sans que l'on puisse prévoir une règle générale.
Il est possible cependant de trouver quelques règles particulières pour les mots commençant par *com-*, *im-* et *em-*.

◻ OBSERVEZ BIEN LES MOTS SUIVANTS.

commandant	compagnie	immédiat	impact
commis	complet	immense	imparfait
commode	combat	immeuble	impasse
commencer	combinaison	immigrant	imbécile

☆ RÈGLE

Les mots qui commencent par **com-** et par **im-** redoublent généralement la lettre **m** lorsqu'elle se trouve entre deux voyelles.
  Ex.: *commode / combat, immeuble / impasse.*

POUR APPLIQUER LA RÈGLE

Cherchez dans votre dictionnaire cinq mots qui commencent par *com-* et par *im-* et qui sont des exceptions à cette règle.

◻ OBSERVEZ BIEN LES MOTS SUIVANTS.

emmagasiner	émincer
emmêler	émerveiller
emménager	émettre
emmener	émietter
emmurer	émigrer

Partagez ces mots en préfixe et radical. Cela vous aide-t-il à écrire correctement *m* ou *mm*?

☆ RÈGLE

Les mots qui commencent par **em-** s'écrivent avec deux **m** lorsqu'il s'agit du préfixe **em-** (variante de **en**: dans, avec).

Ex.: *emmagasiner, emmener.*

Ils s'écrivent avec un seul **m** lorsqu'il s'agit du préfixe **é-** (qui désigne l'extraction, l'augmentation).

Ex.: *émigrer, émerveiller.*

▊ OBSERVEZ BIEN LES MOTS SUIVANTS.

moral	parfait
mortel	poli
mobile	personnel
mangeable	patient
modéré	pardonnable

Donnez le contraire de chacun de ces adjectifs.
Quelle règle pouvez-vous en déduire sur le redoublement du *m*?

☆ RÈGLE

Les mots qui commencent par **m** prennent deux **m** lorsqu'on ajoute le préfixe négatif **im-**.

Ex.: *moral/immoral, mobile/immobile.*

Les mots qui commencent par **p** ne prennent qu'un seul **m**.

Ex.: *parfait/imparfait, patient/impatient.*

LE REDOUBLEMENT DU *T*

■ OBSERVEZ BIEN LES MOTS SUIVANTS.

Colonne A	Colonne B
plat/plate	muet/muette
mat/mate	coquet/coquette
candidat/candidate	rondelet/rondelette
avocat/avocate	douillet/douillette
ingrat/ingrate	blondinet/blondinette
délicat/délicate	gentillet/gentillette
lauréat/lauréate	fluet/fluette
chat/chatte	inquiet/inquiète
idiot/idiote	discret/discrète
sot/sotte	concret/concrète
pâlot/pâlotte	complet/complète
vieillot/vieillotte	secret/secrète
	désuet/désuète

a) **Comment s'écrit généralement le féminin des mots qui se terminent par -*at* et par -*ot* au masculin (colonne A)?**

b) **Comment s'écrit généralement le féminin des mots qui se terminent par -*et* au masculin (colonne B)?**

c) **Quels mots font exception?**

☆ RÈGLE

Les mots qui se terminent par **-at** et par **-ot** au masculin s'écrivent généralement avec un seul **t** au féminin.

Ex.: *plat/plate, délicat/délicate, idiot/idiote.*

Exceptions: *chatte, sotte, pâlotte, vieillotte.*

Les mots qui se terminent par **-et** redoublent généralement le **t**.

Ex.: *muet/muette, rondelet/rondelette.*

Exceptions: *inquiète, discrète, concrète, complète, secrète, désuète.*

■ OBSERVEZ BIEN LES MOTS SUIVANTS.

chaînette	diète	roulotte	patriote
mallette	enquête	bouillotte	camelote
sonnette	planète	hotte	
tartelette	tempête	culotte	
maisonnette	arête	marmotte	
allumette		menotte	
côtelette		carotte	

a) Quel est le sens le plus fréquent du suffixe -*ette*?
b) De quel genre sont généralement les mots qui se terminent par -*ette* et par -*otte*?
c) Lorsque le *t* ne redouble pas, comment s'écrit le *e* qui le précède?

☆ RÈGLE

Le suffixe **-ette** est souvent employé comme diminutif.
Ex.: *chaîne/chaînette, maison/maisonnette.*

Les mots qui se terminent par le son **ette** ou par le son **otte** s'écrivent généralement avec deux **t** et sont féminins.
Ex.: *une tartelette, une allumette, une roulotte, une carotte.*
Exceptions: *un patriote, une camelote.*

Lorsque le son **ette** s'écrit avec un seul **t**, le **e** qui précède prend un accent.
Ex.: *diète, planète, tempête, arête.*

▢ OBSERVEZ BIEN LES VERBES SUIVANTS.

éclater	gigoter	quêter
constater	piloter	prêter
dater	tricoter	acheter
hâter	pianoter	rejeter
rater	tripoter	enquêter
tâter	papoter	compléter
dilater	ballotter	jeter
relater	flotter	fêter
gâter	frotter	feuilleter
gratter	grelotter	guetter
flatter	marmotter	fouetter
natter	trotter	regretter
	frisotter	

☆ RÈGLE

Les verbes qui se terminent par **-ater**, par **-oter** ou par **-eter** s'écrivent généralement avec un seul **t**.
Ex.: *éclater, piloter, acheter.*
Exceptions: *gratter, flatter, natter, ballotter, flotter, frotter, grelotter, marmotter, trotter, guetter, fouetter, regretter.*

☐ OBSERVEZ BIEN LES MOTS SUIVANTS.

attacher	établir	ôter
attaquer	étaler	otage
atteindre	étouffer	otarie
attendre	étourdir	utiliser
attirer	étirer	utile
attraper	étonner	utilité
attribuer	étoffe	
atelier	étroit	
atmosphère	étrange	
atroce	étincelle	
atome		
atout		
âtre		

☆ RÈGLE

Les mots qui commencent par **at-** s'écrivent généralement avec deux **t**.
   Ex.: *attacher, attaquer, attirer.*
   Exceptions: *atelier, atmosphère, atroce, atome, atout, âtre.*

Les mots qui commencent par **et-, ot-** ou **ut-** s'écrivent avec un seul **t**.
   Ex.: *étirer, ôter, utile.*

LE REDOUBLEMENT DU *L*

OBSERVEZ BIEN LES MOTS SUIVANTS.

bol	pétale	colle	dentelle	modèle
alcool	rafale	corolle	bretelle	zèle
cil	céréale	pupille	poubelle	clientèle
péril	escale	malle	chandelle	
journal	alvéole	balle	selle	
miel	fossile	intervalle	ficelle	
rituel	domicile	idylle	violoncelle	

a) Comment s'écrit le son *l* à la fin des mots?
b) Le genre de ces mots peut-il vous aider à écrire *l* ou *ll*?
c) Pouvez-vous faire une règle pour les mots de la dernière colonne?

☆ RÈGLE

Le son **l** à la fin des mots peut s'écrire **-l, -le** ou **-lle**.
Ex.: *bol, rafale, poubelle.*

Généralement, les mots féminins s'écrivent **-lle**, les mots masculins **-l**.
Ex.: *la colle / le bol, la balle / le journal.*
Exceptions: *une rafale, une céréale, une escale, un(e) alvéole,
un pétale, un fossile, un domicile, un intervalle,
un violoncelle.*

Les mots qui se terminent par le son **l** et qui ne redoublent pas le **l** prennent un accent grave sur le **e**.
Ex.: *modèle, zèle, clientèle.*

OBSERVEZ BIEN LES MOTS SUIVANTS.

ail	appareil	fauteuil
bétail	éveil	seuil
détail	orteil	chevreuil
travail	réveil	écureuil
bataille	abeille	feuille
taille	oreille	portefeuille
volaille	corneille	chèvrefeuille
maille	groseille	millefeuille

a) Le genre de ces mots peut-il vous aider à écrire correctement *l* ou *ll*?
b) Y a-t-il des exceptions à cette règle?

☆ RÈGLE

Les noms qui se terminent par **-ail, -eil** ou **-euil** s'écrivent avec deux **l** lorsqu'ils sont féminins, avec un seul **l** lorsqu'ils sont masculins.

Ex.: *un dét**ail** / une bat**aille**, un appar**eil** / une or**eille**,*
*un faut**euil** / une f**euille**.*

Exceptions: Les composés du mot *feuille* qui sont masculins et qui s'écrivent avec deux **l**:
*un portef**euille**, un chèvref**euille**, un millef**euille**.*

▢ OBSERVEZ BIEN LES ADJECTIFS SUIVANTS.

banal/banale	pareil/pareille	civil/civile
oriental/orientale	vermeil/vermeille	subtil/subtile
amical/amicale	mortel/mortelle	agile/agile
local/locale	matériel/matérielle	utile/utile
végétal/végétale	cruel/cruelle	habile/habile
mental/mentale	nul/nulle	hostile/hostile

a) Le genre de ces adjectifs peut-il vous aider à écrire correctement *l* ou *ll*?

b) Les adjectifs qui se terminent par le son *il* se comportent-ils comme les autres?

c) En comparant les mots suivants, pouvez-vous expliquer pourquoi on les écrit parfois *-ille*, parfois *-ile*? Y a-t-il une exception?

vanille	fertile
torpille	subtile
cheville	débile
guenille	immobile
tranquille	futile

☆ RÈGLE

Les adjectifs qui se terminent par **-eil, -el, -ul** au masculin s'écrivent avec deux **l** au féminin.

Ex.: *par**eil**/par**eille**, mort**el**/mort**elle**, n**ul**/n**ulle**.*

Les adjectifs qui se terminent par le son **il** s'écrivent parfois de la même façon au masculin et au féminin.

Ex.: *un danseur ag**ile**/une danseuse ag**ile**.*
*un renseignement ut**ile**/une explication ut**ile**.*

Le son **ij** s'écrit **-ille**, le son **il** s'écrit **-ile**.

Ex.: *van**ille** [ij], fert**ile** [il].*

Exception: *tranqu**ille** qui se prononce [il] et qui s'écrit **-ille**.*

◻ OBSERVEZ BIEN LES MOTS SUIVANTS.

aller	alourdir	élargir	ellipse	illégal	île
allumer	alerter	élever		illettré	
alliance	aligner	éliminer		illimité	
allonger	alimenter	élire		illisible	
allusion	alouette	éloigner		illusion	

a) **Pouvez-vous dire si généralement les mots qui commencent par *al-*, *el-*, *il-* s'écrivent avec un *l* ou avec deux?**

b) **Quel est un des sens du préfixe *i-*?**

☆ RÈGLE

Les mots qui commencent par **el-** ou par **il-** s'écrivent généralement avec un seul **l** dans le cas de **el-** et avec deux **l** dans le cas de **il-**.
   Ex.: *élever, élire, illégal, illimité.*
   Exceptions: *ellipse, île.*

Les mots qui commencent par **al-** sont imprévisibles.
   Ex.: *aller, alourdir.*

Le préfixe **i** exprime parfois la négation.
   Ex.: *illettré, illisible.*

◻ OBSERVEZ BIEN LES VERBES SUIVANTS.

appeler / il appelle
ruisseler / il ruisselle
renouveler / il renouvelle
grommeler / il grommelle
chanceler / il chancelle
étinceler / il étincelle

geler / il gèle
peler / il pèle
modeler / il modèle
ciseler / il cisèle
révéler / il révèle
marteler / il martèle

☆ RÈGLE

Généralement, les verbes qui se terminent par **-eler** s'écrivent avec deux **l** devant un **e** muet. Un certain nombre de verbes ne doublent pas le **l** mais prennent un accent grave sur le **e** qui précède.
   Ex.: *app**el**er/il app**elle**, g**el**er/il g**èle**.*

◻ OBSERVEZ BIEN LES MOTS SUIVANTS.

balade	ballade	folie	folle
colis	collaborateur	molaire	mollet
colonel	collation	molécule	mollusque
colonne	collecte	paletot	pelle
colorer	colline	palette	pelletée
colosse	collision	palier	pellicule
colique	colloque	palissade	pollution
céleri		pèlerin	pollué
célèbre		pelure	
céleste		pilule	
célibataire		solitude	satellite
		solaire	solliciter

Il n'y a pas de règles pour expliquer pourquoi ces mots s'écrivent avec un *l* ou avec deux.

Tâchez de les mémoriser. Ce sont les mots sur lesquels on hésite le plus souvent.

LE REDOUBLEMENT DU *R*

◻ OBSERVEZ BIEN LES MOTS SUIVANTS.

arriver	arachide	errer	irréalisable	orage
arroser	araignée	erreur	irréfléchi	orange
arrêter	aride	érafler	irrégulier	orateur
arracher	arôme	ère	irréparable	oreille
arranger	arabe	ériger	irrésistible	oreiller
arrondir	arête	érosion	irréprochable	orifice
arrogant	aristocrate	érudit	irrespirable	originaire
arrière		éruption	irritable	
			ironie	

a) **Quelle est la nature de la plupart des mots qui commencent par *arr-*?**

b) **Que remarquez-vous à propos de l'accent sur les mots qui commencent par *er-*?**

c) **Quel est le sens le plus courant du préfixe *ir-*?**

☆ RÈGLE

Les mots qui commencent par **ar-** s'écrivent avec deux **r** généralement lorsqu'il s'agit de verbes.

Ex.: *arriver, arrondir, aride, arête.*

Les mots qui commencent par **er-** ou par **or-** s'écrivent généralement avec un seul **r**.

Ex.: *érafler, ériger, orage, oreiller.*

Exceptions: *erreur, errer.*

Les mots qui commencent par **ir-** s'écrivent généralement avec deux **r**. Il s'agit souvent du préfixe négatif.

Ex.: *irréalisable, irrespirable, irrégulier.*

Exception: *ironie.*

 OBSERVEZ BIEN LES MOTS SUIVANTS.

caractère	carré	baraque	barre	marée	marraine
carabine	carrefour	baron	barrique	marécage	marron
carafe	carrière	bariolé	barricade	marais	
carapace	carriole	baril	barrière	maréchal	
caresse	carrosse		barrage	marelle	
caricature	carrosserie		barreau	marionnette	
carie	carrure			maritime	
caribou				mariage	
carillon				marotte	
carotte					

☆ RÈGLE

Les mots qui commencent par **car-** et par **mar-** ne redoublent généralement pas le **r**.

Ex.: *carafe, carotte, marée, marionnette.*

Attention, il y a cependant un certain nombre de mots qui commencent par **carr-** et par **marr-**.

Ex.: *carré, carrosse, marraine, marron.*

Les mots qui commencent par **bar-** redoublent généralement le **r**.

Ex.: *barre, barrique, barrage.*

Attention à ba*raque, baron, bariolé, baril.*

☐ OBSERVEZ BIEN LES MOTS SUIVANTS.

bourrasque	sourire	déranger
bourre	secourir	déraper
bourrelet	parcourir	déraciner
bourreau	recourir	dérailler
bourrique	mourir	dérégler
bourru	nourrir	dérober
	pourrir	derrière

☆ RÈGLE

Les mots qui commencent par **bour-** s'écrivent généralement avec deux **r**.
Ex.: *bourrasque, bourreau, bourru.*

Les mots qui commencent par **de-** s'écrivent généralement avec un seul **r**.
Ex.: *déranger, dérailler, dérober.*
Exception: *derrière.*

Les verbes qui se terminent par **-ourir** s'écrivent généralement avec un seul **r**.
Ex.: *secourir, parcourir, mourir.*
Exceptions: *nourrir, pourrir.*

◼ OBSERVEZ BIEN LES MOTS SUIVANTS.

ulcère	arrière	fermière
prière	terre	légère
colère	serre	amère
misère	pierre	extérieure
fougère	lierre	mineure
lumière	tonnerre	meilleure
filière	guerre	pure
galère	équerre	sûre

a) **Comment s'écrit le *e* qui précède le *r* lorsque celui-ci ne redouble pas?**
b) **Que pouvez-vous dire sur le féminin des adjectifs qui se terminent par le son *r*?**

☆ RÈGLE

À la finale des mots, le son **r** s'écrit parfois avec deux **r** parfois non. Lorsque le **r** ne redouble pas, le **e** qui le précède s'écrit avec un accent grave.
Ex.: *pierre, tonnerre, prière, lumière.*

Les adjectifs féminins qui se terminent par le son **r** s'écrivent avec un seul **r**.
Ex.: *légère, meilleure, pure.*

OBSERVEZ BIEN LES VERBES SUIVANTS.

garer   s'emparer   amarrer
comparer   déclarer   se bagarrer
égarer   préparer   barrer
réparer   séparer   démarrer

☆ RÈGLE

Les verbes qui se terminent par **-arer** s'écrivent généralement avec un seul **r**.
Ex.: *comparer, préparer, séparer.*
Exceptions: *amarrer, se bagarrer, barrer, démarrer.*

POUR APPLIQUER LES RÈGLES

Expliquez le sens des mots suivants à l'aide d'un dictionnaire.

verre/ver   courre/cour   terre/ter
barre/bar   arrête/arête   serre/sert
erre/ère   desserre/dessert bourre/bourg

LE REDOUBLEMENT DU *N*

OBSERVEZ BIEN LES MOTS SUIVANTS.

annales
année
annuel
annexe
anniversaire
annoncer
annoter
annuler
annuaire
anneau

analgésique
analogie
analphabète
analyse
ananas
anarchie
anatomie
anéantir
anecdote

anémique
anémone
anesthésie
animal
animer
anomalie
anonyme
anormal

☆ RÈGLE

Les mots qui commencent par **an-** s'écrivent généralement avec un seul **n**.

Ex.: *analyse, anarchie, anomalie.*

Exceptions: les composés du mot **an** (*annales, année, annuel, anniversaire, annuaire*) et *annexe, annoncer, annoter, annuler, anneau.*

OBSERVEZ BIEN LES MOTS SUIVANTS.

inné
innommable
innombrable
inoffensif
inondation
inoubliable

enneigé
ennemi
ennuyer
enivrant
enorgueillir

☆ RÈGLE

Les mots qui commencent par **in-** et par **en-** prennent deux **n** quand le radical commence par **n**.

Ex.: *in(né), in(offensif), en(neigé), en(ivrant).*

OBSERVEZ BIEN LES MOTS SUIVANTS.

canaille	caniche	caneton	canne
canal	canicule	canette	canneberge
canapé	canif	canevas	cannelle
canari	canine	canon	cannibale

☆ RÈGLE

Les mots qui commencent par **can-** s'écrivent généralement avec un seul **n**.

Ex.: *canapé, canine, canon.*

Exceptions: *canne, canneberge, cannelle, cannibale.*

Il est parfois impossible de trouver une règle qui expliquerait pourquoi les mots s'écrivent ainsi. Il s'agit alors de les mémoriser.

annoncer / énoncer   colonnade / colonel

panneau / panier   résonner / résonance

honneur / honorer   le renne / les rênes

sonner / sonate   la canne / la cane

OBSERVEZ BIEN LES MOTS SUIVANTS.

arène	banane	angine
chêne	boucane	bobine
ébène	cabane	cabine
frêne	caravane	comptine
hygiène	chicane	famine
mécène	organe	gamine
oxygène	platane	je jardine
rêne	pyromane	je patine
scène	savane	racine
sirène	soutane	résine
antenne	tisane	tartine
benne	canne	terrine
étrenne	paysanne	je trottine
renne	vanne	tsarine
		turbine

☆ RÈGLE

Les mots qui se terminent par **-ene, -ane, -ine** s'écrivent généralement avec un seul **n**.

   Ex.: *arène, banane, tartine.*
   Exceptions: *antenne, benne, renne, canne, paysanne, vanne.*

OBSERVEZ BIEN LES MOTS SUIVANTS.

amazone	hormone	je bouillonne	mignonne
anémone	madone	je boutonne	je moissonne
aumône	matrone	espionne	patronne
autochtone	monotone	je fonctionne	je rayonne
carbone	pylône	je fusionne	je ronronne
cyclone	il ramone	huronne	je talonne
hexagone	téléphone	je klaxonne	je visionne

☆ RÈGLE

Les mots qui se terminent par le son **one** s'écrivent généralement
avec un seul **n**.

   Ex.: *amazone, hormone, monotone.*

Ils s'écrivent avec deux **n** lorsqu'il s'agit d'un verbe ou de la forme
féminine d'un adjectif ou d'un nom.

   Ex.: *je bouillonne, mignonne, espionne, patronne.*

LE REDOUBLEMENT DU *P*

 OBSERVEZ BIEN LES MOTS SUIVANTS.

apparaître	appeler	apprécier	apache	aplatir
apparat	appendice	apprendre	apaiser	apogée
appareil	appesantir	apprenti	apanage	apostrophe
apparence	appétit	apprivoiser	apathie	âpre
apparenté	applaudir	approcher	apercevoir	
apparition	applaudissement	approfondir	apéritif	
appartement	application	approprier	apeuré	
appât	appliquer	approuver	apiculteur	
appauvrir	appoint	appui	apitoyer	
appel	apporter	appuyer	aplanir	

☆ RÈGLE

La plupart des mots qui commencent par **ap-** s'écrivent avec deux **p**.
   Ex.: *apparaître, appareil, apprendre, approuver.*
   Exceptions: *apache, apaiser, apanage, apathie, apercevoir, apéritif,*
      apeuré, apiculteur, apitoyer, aplanir, aplatir, apogée,
      apostrophe, âpre.

 OBSERVEZ BIEN LES MOTS SUIVANTS.

attraper	retaper	anticiper	équiper
décaper	échapper	chiper	étriper
déraper	frapper	constiper	friper
handicaper	happer	dissiper	participer
kidnapper	japper	émanciper	gripper

☆ RÈGLE

La plupart des verbes qui se terminent par **-per** s'écrivent avec un seul **p**.
   Ex.: *attraper, déraper, participer, équiper.*
   Exceptions: *échapper, frapper, happer, japper, kidnapper, gripper.*

 OBSERVEZ BIEN LES MOTS SUIVANTS.

coupe	poupe	antilope	myope
chaloupe	soucoupe	chope	syncope
croupe	soupe	escalope	télescope
groupe	troupe	je galope	échoppe
loupe	houppe	horoscope	enveloppe

☆ RÈGLE

La plupart des mots qui se terminent par **-oupe** et par **-ope** s'écrivent avec un seul **p**.

Ex.: *chaloupe, loupe, antilope, myope.*

Exceptions: *houppe, échoppe, enveloppe.*

LE REDOUBLEMENT DU *F*

☐ OBSERVEZ BIEN LES MOTS SUIVANTS.

effacer	efficace	défaut	référence
effectuer	effilé	défectueux	réfléchir
effervescent	effort	défense	refléter
effet	effrayé	défoncer	se méfier

☆ RÈGLE

Les mots qui contiennent **ef** s'écrivent **eff-** en début de mot.
Ex.: *effacer, effet, efficace, effrayé.*

☐ OBSERVEZ BIEN LES MOTS SUIVANTS.

rafale	rafler	raffoler	raffiner
rafistoler	rafraîchir	raffermir	raffûter

☆ RÈGLE

Les mots qui commencent par **raf-** redoublent le **f** si le **r** est un préfixe signifiant **rendre plus.**
Ex.: *raffermir, raffiner, raffûter.*
Exception: *rafraîchir.*

☐ OBSERVEZ BIEN LES MOTS SUIVANTS.

affaiblir	affirmer	différent	officier
affaire	affreux	difficile	offrir
affamé	affronter	difforme	suffire
affectueux	afin	diffuser	suffixe
afficher	Afrique	offense	suffoquer

☆ RÈGLE

Les mots qui commencent par **af-, dif-, of-, suf-** s'écrivent **aff-, diff-, off-, suff-**.

    Ex.: *affaiblir, différent, officier, suffire.*
    Exceptions: *afin, Afrique.*

 OBSERVEZ BIEN LES MOTS SUIVANTS.

bouffe	greffe	je camoufle	je rafle
je chauffe	griffe	j'époustoufle	je renifle
coiffe	je pouffe	gifle	je ronfle
étoffe	touffe	gonfle	trèfle
j'étouffe	truffe	moufle	buffle
je m'esclaffe	golfe	pantoufle	je siffle
gaffe	pontife	je persifle	je souffle

☆ RÈGLE

Les mots qui se terminent par **-fe** s'écrivent généralement **-ffe**.

    Ex.: *étoffe, greffe, touffe.*
    Exceptions: *golfe, pontife.*

Les mots qui se terminent par **-fle** s'écrivent généralement **-fle**.

    Ex.: *gifle, moufle, je ronfle.*
    Exceptions: *buffle, je siffle, je souffle.*

Attention aux mots qui se ressemblent:

        le golf (le jeu) / le golfe (la baie)
        je siffle / je persifle (je me moque)
        je souffle / ma peau se boursoufle (elle est gonflée)
        gaufre / coffre
        goinfre / gouffre
        le soufre / je souffre

LES MOTS COMMENÇANT À L'ORAL PAR UNE VOYELLE

OBSERVEZ BIEN LES MOTS SUIVANTS.

illégal	imprévu	hibou
illettré	impropre	hideux
immigrant	inacceptable	hiérarchie
immortel	infaillible	hilare
impatient	invulnérable	hirondelle
impitoyable	irréalisable	hirsute
impoli	irrespirable	hiverner

 RÈGLE

Les mots qui commencent par des préfixes signifiant la négation ne prennent jamais d'**h**.
   Ex. : *illégal, immortel, infaillible.*

OBSERVEZ BIEN LES MOTS SUIVANTS.

haleine	hommage	ahuri	épithète
haleter	homonyme	archipel	équerre
haltère	horizon	archives	escabeau
hamac	hormone	artère	iceberg
handicap	horoscope	asphyxie	intègre
hangar	hostile	asthme	impact
hardi	houle	auriculaire	ouragan
harmonium	hublot	austère	orifice
harnais	humilier	ébauche	oxigène
harpe	humour	éboulis	orthographe
hécatombe	hygiène	écaille	ulcère
hélice	hypocrite	ecchymose	ultimatum
hélicoptère	hypothèque	échafaudage	unanime
hémisphère	hypothèse	enthousiasme	urbain

À part la règle élaborée plus haut, il est difficile d'expliquer pourquoi certains mots s'écrivent avec un *h* et d'autres pas. Il s'agit alors de les lire et de les écrire souvent pour tenter de les mémoriser.

LES NOMS DE LIEUX

▢ OBSERVEZ BIEN LES MOTS SUIVANTS.

Trois-Rivières
Cap-de-la-Madeleine
Sept-Îles
Sainte-Agathe-des-Monts
Lac-Mégantic
la bataille des Plaines
la Côte-d'Ivoire

la rivière des Outaouais
le cap Diamant
les îles de la Madeleine
le mont Sainte-Anne
le lac Saint-François
la plaine du Saint-Laurent
la côte de la Montagne

a) **Que désignent ces mots?**
b) **Quand doit-on écrire rivière, cap, île, mont, lac, plaine, côte avec une majuscule?**
c) **Quand doit-on mettre un trait d'union?**

☆ RÈGLE

Les noms qui désignent des lieux comme **rivière, cap, île, mont, fleuve, lac, plaine, côte** s'écrivent avec une **majuscule** quand ils font partie du nom donné à un **lieu précis** (ville, région, etc.).
On met un trait d'union dans le même cas.
   Ex.: *Trois-Rivières, Sept-Îles, Lac-Mégantic.*

▢ OBSERVEZ BIEN LES MOTS SUIVANTS.

l'océan **Atlantique**
la mer **Noire**
le mont **Tremblant**
les montagnes **Rocheuses**

les provinces **Maritimes**
la rue **Principale**
la Colombie-**Britannique**
les États-**Unis**

a) **Comment s'écrivent les mots en caractères gras?**
b) **Qu'est-ce que ces mots ont en commun?**
c) **Quelle est la particularité des deux dernières expressions?**

☆ RÈGLE

Les noms propres qui désignent des lieux s'écrivent avec une **majuscule**. Si des adjectifs ou des noms communs font partie de l'expression, il faut aussi les écrire avec une **majuscule**.
   Ex.: *l'océan Atlantique, la mer Noire.*

◻ OBSERVEZ BIEN LES MOTS SUIVANTS.

les provinces de l'**Ouest**　　　l'Ontario est à l'**est** du Manitoba
les peuples du **Nord**　　　　　le Grand **Nord**
Sherbrooke est au **sud** du Québec　les vents du **nord**

☆ RÈGLE

Les noms de points cardinaux commencent par une **majuscule** lorsqu'ils désignent le **territoire** d'une région, d'un pays ou d'un ensemble de pays.

　Ex.: *les provinces de l'Ouest, les peuples du Nord.*

Ils commencent par une **minuscule** quand ils désignent les **points de l'horizon.**

　Ex.: *Sherbrooke est au sud du Québec, les vents du nord.*

◻ OBSERVEZ BIEN LES MOTS SUIVANTS.

Les Éboulements　　　　les Rocheuses
Les Escoumins　　　　　les Laurentides
La Malbaie　　　　　　　le Saint-Laurent

Pourquoi l'article qui précède ces noms de lieux s'écrit-il parfois avec une majuscule, parfois avec une minuscule?

☆ RÈGLE

L'**article** s'écrit avec une **majuscule** quand il fait partie de l'expression désignant un **lieu précis.**

　Ex.: *Les Éboulements, Les Escoumins, La Malbaie.*

LES NOMS DE PEUPLES

OBSERVEZ BIEN LES PHRASES SUIVANTES.

1. Les **F**rançais ont été les premiers **E**uropéens à s'installer en Amérique du Nord.

2. Le français est la langue du Québec.

3. Les **C**anadiens français sont aussi appelés des francophones.

4. Les drapeaux **q**uébécois, **a**méricain et **c**anadien flottaient au-dessus du stade.

5. Le chef de l'État **a**méricain affirme que les **R**usses sont prêts à tout.

6. Les missiles **r**usses sont-ils aussi dangereux que ceux des **A**méricains?

7. J'ai rencontré un **C**oréen et une famille **v**ietnamienne à la fête des **A**siatiques.

8. J'ai revu mon ami **c**oréen et les **V**ietnamiens quelques jours plus tard.

☆ RÈGLE

Un nom de peuple utilisé comme **nom propre** prend une **majuscule**.
S'il est employé comme **adjectif qualificatif,** il prend une **minuscule**.
   Ex.: *les* **C***anadiens français, les drapeaux* **q***uébécois.*

POUR APPLIQUER LA RÈGLE

a) **Expliquez pourquoi les mots soulignés s'écrivent avec une minuscule ou une majuscule.**

La population canadienne comprend d'abord les autochtones, c'est-à-dire les Inuit (autrefois appelés les Esquimaux), les nations indiennes et les Métis. Les Indiens appartiennent à dix principaux groupes linguistiques dont les Algonquins, les Iroquois et les Sioux. Les Canadiens français se retrouvent majoritairement au Québec mais les Acadiens, les Franco-Ontariens, les Franco-Manitobains et les Fransaskois sont aussi des francophones. Les immigrants européens (les Italiens, les Grecs, les Portugais, les Polonais, les Ukrainiens...) se sont souvent assimilés aux Canadiens anglais. Parmi les Canadiens d'origine antillaise, beaucoup d'Haïtiens ont choisi le Québec parce qu'ils parlent français.

b) Quelle différence voyez-vous entre ces phrases?

1. Nous sommes québécois.
2. Nous sommes des Québécois.
3. Comment va votre Anglais?
4. Comment va votre anglais?

LA PONCTUATION

la virgule

1. a) À l'arrivée, tous avaient le souffle court.
   b) En temps de guerre, des mesures spéciales sont appliquées.
   c) Avec tendresse, le père borde l'enfant qui s'est éveillé.

2. a) Il lui faut son passeport, son billet d'avion et ses chèques de voyage.
   b) Le peintre prend ses tubes de rouge, de jaune, de vert et de bleu.
   c) Évangelia s'élance, ouvre la porte, regarde et s'enfuit dans la nuit.

3. a) Les secours, dit le ministre Young, arriveront à temps.
   b) Je ne peux croire, dit-elle, à tant de mauvaise foi.
   c) Les vacances, affirme le directeur, seront abrégées.

4. a) Quand la tempête fait rage, le capitaine prend la barre.
   b) Si la cloche sonne, allez ouvrir.
   c) Lorsque l'argent manque, seuls les vrais amis restent.

5. a) Agatha Christie, la romancière, avait un grand sens de l'humour.
   b) Marie Curie, la femme de science, a découvert le radium.
   c) Toussaint Louverture, le libérateur d'Haïti, est mort en captivité.

6. a) André, regarde comme c'est facile.
   b) Louise, j'aimerais que tu te coiffes autrement.
   c) Messieurs, je vous en prie.

☆ RÈGLE

La **virgule** est utilisée:
1. pour marquer une inversion;
2. pour séparer les parties d'une énumération;
3. pour encadrer une proposition incise;
4. pour séparer des propositions juxtaposées;
5. pour encadrer un mot mis en apposition;
6. pour souligner un mot mis en apostrophe.

le point

1. a) Le cours est fini.
   b) Un étudiant de 3e secondaire est capable de maîtriser la ponctuation.
   c) Naturellement, il devra faire un effort.

2. a) J'ai oublié mon cahier de géogr. dans la classe.
   b) Nelson fréquente la polyv. Anjou.
   c) Sarah demeure au 1885, boul. Lavoie.

☆ RÈGLE

Le **point** est utilisé :
1. à la fin d'une phrase ;
2. à la fin d'une abréviation.

le point-virgule

a) Ce que nous savons, c'est une goutte d'eau ; ce que nous ignorons, un océan.
b) J'étais furieuse ; je me jurais d'aller faire connaître mon indignation à l'avocate, au juge, au ministre de la Justice, s'il le fallait.
c) Hier, ma vie était un paradis ; aujourd'hui, elle est devenue un véritable enfer à cause de toi.

☆ RÈGLE

Le **point-virgule** marque une pause dans une phrase déjà longue.

les deux-points

1. a) Napoléon disait : «Le devoir du chef est de commander ; celui du subordonné, d'obéir.»
   b) Purcell conclut son livre en écrivant : «Jean Drapeau est tellement persuadé qu'il passera à l'histoire qu'il a laissé un testament politique.»
   c) La reine Victoria affirmait : «Il faut que l'empire soit fort.»

2. a) Les résultats de cette folle démarche : dix employées mises à la porte, trois suspensions et une lettre de blâme au surveillant.
   b) Le premier ministre est passé par de nombreuses villes : Arvida, Sherbrooke, Sorel, Chicoutimi, Matane et Gaspé.
   c) Une phrase simple : une phrase qui ne contient qu'un verbe conjugué.

le point d'interrogation

a) Craint-il encore l'obscurité?
b) Avons-nous congé le lundi de Pâques?
c) Le Canadien espère-t-il encore gagner la coupe Stanley?

les points de suspension

a) J'ai reçu ce matin une lettre d'Ann qui disait...
b) Il n'arrive pas à y croire et pourtant...
c) Je ne tolérerai pas plus longtemps ta paresse et ton...

le point d'exclamation

a) Hélas! je ne peux plus partir!
b) Ah! la canaille!
c) Non!

le tiret

1. — Dites. Quel âge a-t-il à peu près?
   — Dans les trente à trente-cinq.
   — Pas plus, vous êtes sûr?
   — Je ne le pense pas.
   — Pourtant, son apparence physique nous fait croire à un âge plus avancé.
   — C'est qu'il a eu bien des malheurs...
   — Lesquels?
   — Allez lui demander...

2. a) Il nous faudra trois mois de travail — de travail intense et soigné — pour réparer toutes les erreurs de l'administration.
   b) Madame Lemire a utilisé cet argent — argent qui ne lui appartenait même pas — pour s'en servir comme garantie d'un prêt.
   c) Ses toiles — surtout celles de Rubens — étaient assurées pour de fortes sommes.

 **RÈGLE**

Le **tiret** est utilisé:
1. pour marquer le changement de personne dans un dialogue;
2. pour encadrer une explication.

l'alinéa

Nous aimerions vous inviter à participer à une fête qui se tiendra samedi, le 18 avril, à la salle Fleur-de-Lys.

Nous comptons beaucoup sur votre présence. Nous serions heureux d'utiliser vos talents de maître de cérémonie pour présenter aux invités les personnalités qui rehausseront de leur présence notre fête.

Si vous avez besoin d'informations plus complètes, vous pouvez joindre M. Paul Duguay au 468-3939. Il se fera un plaisir de vous apporter son aide.

RÈGLE

L'**alinéa** marque le début d'un nouveau paragraphe.

les guillemets

1. a) Golda Meir disait: «Israël doit s'imposer.»
   b) Prince a écrit dans son livre: «La lutte contre la pollution est la dernière grande lutte de l'homme.»
   c) Peter énonce un principe bizarre qui dit: «Si une chose peut aller mal, soyez convaincu qu'elle ira mal.»

2. a) Hitler fut incinéré près de son «bunker».
   b) Prends ça «cool», disait-elle.
   c) Émilie disait à son fils qu'elle était «tannée» de l'entendre.

⭐ RÈGLE

Les **guillemets** sont utilisés pour encadrer:
1. une citation;
2. un mot étranger ou familier.

les parenthèses

a) Un magnifique phare écarlate, bleu et blanc rayait la nuit (Victor Hugo, *Le Rhin,* lettre IV).
b) Thérèse Cuny écrit: «La vie n'est qu'un ensemble de hasards.» (*Faits vécus*, p. 2)
c) Napoléon disait que la meilleure défense était l'attaque (*Dictionnaire des citations*).

⭐ RÈGLE

Les **parenthèses** marquent une explication hors texte.

LES ABRÉVIATIONS ET LES SYMBOLES

OBSERVEZ BIEN LES ABRÉVIATIONS ET LES SYMBOLES SUIVANTS.

TEMPS

j (jour)	**min** (minute)	**av. J.-C.** (avant
h (heure)	**s** (seconde)	Jésus-Christ)

MESURE

lb (livre)	**pi** (pied)	**cm** (centimètre)
oz (once)	**po** (pouce)	**°C** (degré Celsius)
dz (douzaine)	**km** (kilomètre)	**gal** (gallon)
mi (mille)	**m** (mètre)	

TITRES

M. (Monsieur)	**Mmes** (Mesdames)	**M^e** (maître)
MM. (Messieurs)	**Mlle** (Mademoiselle)	**D^r** (docteur)
Mme (Madame)	**Mlles** (Mesdemoiselles)	**dir.** (directeur)

LIEU

av. (avenue)	**C.P.** (case postale)	**G.-B.**
boul. (boulevard)	**Qué.** ou **Qc** (Québec)	(Grande-Bretagne)
cté (comté)	**É.-U.** ou **U.S.A.**	**Ont.** (Ontario)
app. (appartement)	(États-Unis)	

AUTRES

a/s (aux soins de)	**ltée** (limitée)
P.-S. (post-scriptum)	**&** (et)
N.B. (notez bien)	**p.** (page)
i.e. (c'est-à-dire)	**pp.** (pages)
cf. (référez)	**etc.** (et cetera ou et caetera)
1er (premier)	**S.V.P.** ou **s.v.p.** (s'il vous plaît)
1re (première)	**R.S.V.P.** (répondre s'il vous plaît)
2e (deuxième)	**N^o** (numéro)
cie (compagnie)	**N^{os}** (numéros)

1

tél. 479-3534	polyv. Anjou	av. Letendre
3e **sec.**	boul. Therrien	6 000 **hab.**

⭐ RÈGLE

Habituellement, dans une abréviation, le point se met à la place de la voyelle.

Ex.: *téléphone/tél., boulevard/boul., avenue/av.*

2

app. 5	gramm.
J.-Cl. Dubois	géogr.

⭐ RÈGLE

Lorsqu'on veut abréger un mot où deux consonnes se suivent, le point se met après la seconde consonne.

Ex.: *app., J.-Cl., gramm.*

3

M. Laramée (Monsieur Laramée)	i.e. (c'est-à-dire)
c.-à-d. (c'est-à-dire)	voir p. 35 (voir page 35)
É.-U. (États-Unis)	s.v.p. (s'il vous plaît) ·
C.P. 5 000 (case postale 5 000)	R.S.V.P.
P.-S. (post-scriptum)	(répondre s'il vous plaît)
N.B. (notez bien)	

⭐ RÈGLE

On remarque que, dans beaucoup d'abréviations courantes, le point se met après la première lettre du mot ou des mots à abréger.

Ex.: *M., É.-U., N.B., s.v.p.*

4 **MM.** Leclair et Dupré   Lire les **pp.** 10, 11, 12

☆ RÈGLE

Le pluriel de **page** et de **Monsieur** se fait en doublant la consonne.
  Ex.: *MM. Leclair et Dupré, pp. 10, 11, 12*

5 hab. (habitants)   Mmes (Mesdames)
mod. (moderne)   Mlles (Mesdemoiselles)
art. (articles)   n^{os} (numéros)
chap. (chapitres)

☆ RÈGLE

L'abréviation prend la marque du pluriel seulement si elle contient les dernières lettres du mot.
  Ex.: *Mmes, Mlles, n^{os}*

6 Mme Côté   cté (comté) de Verchères
Mmes Côté et Lacroix   Nadeau **ltée**
Mlle Giroux   Larivière et **cie**
Mlles Giroux et Dupras   Dr Paradis
Me Champagne

☆ RÈGLE

Quand une abréviation courante contient la ou les dernières lettres du mot à abréger, elle n'est jamais suivie d'un point.
  Ex.: *Mme, M^{e}, ltée, cie*

7 une course de 2 **h** 21 **min**
une avance de 3 **min** 18 **s**
une bouteille de 2,5 **l**

100 **km**
une planche de 3 **m**
une aiguille de 2 **cm**

☆ RÈGLE

Les symboles indiquant la durée et les mesures métriques s'écrivent en lettres minuscules et ne sont pas suivis d'un point.
Ex.: *2 h 21 min, 100 km, 2 cm*

8 un voyage de 100 **mi**
une table de 6 **pi**

une règle de 6 **po**

☆ RÈGLE

Les symboles représentant les mesures d'origine anglaise s'écrivent avec les deux premières lettres en minuscules et ne sont pas suivis d'un point.
Ex.: *100 mi, 6 pi, 6 po*

9 1 **lb** (livre) de tomates
40 **oz** (onces)

2 **dz** (douzaines) d'œufs
3 **gal** (gallons) de sirop

☆ RÈGLE

Tentez de retenir ces quatre symboles courants: **lb, oz, dz, gal.** Ils n'ont en commun que l'absence de point.
En regardant les exemples des n°s 7, 8 et 9, on peut dire que tous les symboles indiquant la durée, la mesure, le poids et la quantité s'écrivent en minuscules et ne prennent jamais de point.
Ex.: *3 min 18 s, 3 m, 1 lb, 2 dz*

10

Je suis **1ᵉʳ**.
Tu es **2ᵉ**.
Il est **3ᵉ**.
Tu as rendez-vous chez
le **Dʳ** Bao.

Je vais chez **Mᵉ** Ledoux,
avocat.
Il fait 18 °**C**.
Lis le **n°** 4.
Attention aux **nᵒˢ** 9 et 10.

Certaines abréviations se caractérisent par un symbole, une lettre ou des lettres surélevées.
Ex.: *2ᵉ, Dʳ, 18 ° C, nᵒˢ 9 et 10*

11

etc. (et cetera)
a/s (aux soins de)

Mtl (Montréal)
Mgr (Monseigneur)

☆ **RÈGLE**

Les lettres qui composent certaines abréviations sont parfois prises au milieu du mot.
Ex.: *a/s, Mtl, Mgr*

12

F.T.Q.	CNCP	C.U.M.	H.E.C.
C.S.N.	C.E.C.M.	O.N.U.	G.R.C.
P.Q.	S.O.S.	O.T.A.N.	Cégep

☆ **RÈGLE**

Un sigle est une abréviation formée des initiales de deux ou plusieurs mots. Il s'écrit avec ou sans points abréviatifs, tout en majuscules ou avec seulement une majuscule initiale.
Ex.: *L'O.N.U. (l'Organisation des Nations Unies)*

Un sigle s'écrit comme un simple nom quand sa prononciation le permet. Dans ce cas, il peut prendre la marque du pluriel.
Ex.: *un cégep, des cégeps*

POUR APPLIQUER LES RÈGLES

Trouvez l'abréviation ou le symbole qui convient à chaque mot souligné.

Madame Dumoulin, présidente de la compagnie Stelco limitée, a invité messieurs Lavallée et Lopez à souper à 6 heures 30 minutes. Elle a demandé à sa secrétaire, mademoiselle Prévert, d'acheter 100 grammes de caviar et 3 douzaines d'huîtres. Il y a déjà 1 kilogramme de saumon fumé dans le réfrigérateur. Rien ne vaut un bon repas avant de parler affaires.

Après le repas, les trois partenaires doivent parler de l'achat d'un immeuble situé sur la Cinquième Avenue à Sainte-Martine. Le bâtiment a une hauteur de 25 mètres et le terrain une superficie de deux hectares.

Madame Dumoulin a eu le coup de foudre. Les deux autres n'ont marqué aucun intérêt particulier.

Ce matin, elle a convoqué maître Boigny, son avocate, pour qu'elle lui établisse un contrat d'association avec ses deux partenaires. Pour intéresser ces derniers, elle a fait écrire sur la première page le nom de la future compagnie: Norama et compagnie. Il ne manque que la signature des deux futurs associés aux pages 9 et 10.

Notez bien que messieurs Lopez et Lavallée ont leur bureau au 1589, boulevard Lachapelle, comté de Nicolet. Numéro de téléphone: 1-273-4491. S'il vous plaît, adressez leur courrier aux soins de monsieur Lebrun, leur secrétaire.

Deuxième partie
L'ORTHOGRAPHE GRAMMATICALE

LE VERBE

la finale des verbes
les verbes à la 2e personne du singulier
les verbes à la 3e personne du singulier
les homophones
la graphie du son *i* à la fin d'un verbe
la graphie du son *é* à la fin d'un verbe
la graphie du son *é* à la fin d'un verbe (ce verbe est
    précédé d'un autre verbe et d'un pronom personnel)
la graphie du son *é* à la fin d'un verbe (ce verbe est
    précédé de l'auxiliaire *avoir* à la forme négative)
la graphie du son *é* à la fin d'un verbe (ce verbe est
    précédé de l'auxiliaire *être* à la forme négative)
la graphie du son *é* à la fin d'un verbe (ce verbe est
    précédé d'un autre verbe à la forme négative)
la graphie du son *é* à la fin d'un verbe (récapitulation)
l'accord du verbe
l'accord du verbe (le sujet est séparé du verbe par un
    pronom personnel)
l'accord du verbe (le sujet est le pronom *on*)
l'accord du verbe (le sujet est séparé du verbe par une
    apposition ou par une proposition relative)
l'accord du verbe (le sujet est un nom collectif sans
    complément)
l'accord du verbe (plusieurs sujets de personnes différentes)
l'accord du verbe (le sujet est le pronom relatif *qui*)
l'accord du verbe (le sujet est encadré par l'expression
    c'est... qui)
l'accord du verbe (le sujet suit le verbe)
l'accord du verbe (le sujet est un nom collectif ou un
    adverbe de quantité suivis d'un complément)
l'accord du verbe (les sujets sont joints par *ou* ou par *ni*)
l'accord du verbe (les sujets sont joints par *ainsi que,
comme, aussi bien que, autant que, de même que*, etc.)

l'accord du verbe (le sujet est le pronom démonstratif
  ce ou c')
l'infinitif en -er ou le participe passé en -é
l'accord du participe passé (employé seul ou avec être,
  paraître, sembler, devenir, rester)
l'accord du participe passé (l'auxiliaire est avoir, il n'y a pas
  de complément d'objet)
l'accord du participe passé (l'auxiliaire avoir est précédé
  d'un pronom personnel)
l'accord du participe passé (les règles principales —
  récapitulation)
l'accord du participe passé (employé avec avoir et suivi
  d'un infinitif)
l'accord du participe passé (les verbes pronominaux)
l'accord du participe passé (les cas particuliers)
dû... du
le verbe pouvoir
le verbe faire
le subjonctif et l'impératif d'être et d'avoir
le subjonctif de vouloir et de pouvoir
le futur et le conditionnel de mourir et de courir
l'orthographe des verbes comme semer, lever, etc.
l'orthographe des verbes vaincre, s'asseoir, bouillir, coudre,
  rompre, acquérir, mouvoir
les verbes qui se terminent par -cer
les verbes qui se terminent par -ger
les verbes qui se terminent par -eler et par -eter
les verbes qui se terminent par -yer
les verbes qui se terminent par -aître et par -oître
les verbes qui se terminent par -indre et par -soudre

LA FINALE DES VERBES

 OBSERVEZ BIEN LES VERBES SUIVANTS.

j'arrive
tu arrives
il/elle arrive
ils/elles arrivent

je guéris
tu guéris
il/elle guérit

nous prendrons
ils prendront

☆ RÈGLE

Le verbe s'accorde en nombre avec son sujet. Il ne s'accorde jamais en genre.

Ex.: *Ils/Elles arrivent, il/elle arrive.*

En conjugaison, à chaque personne correspond une finale particulière.

Ex.: *J'arrive, tu arrives,* elles arriv**ent**.

Consultez un tableau de conjugaison pour éviter la confusion.

POUR APPLIQUER LA RÈGLE

a) **Complétez les verbes suivants avec la finale qui convient: *e, es,* ou *ent.* Indiquez à quelle personne est conjugué le verbe.**
   1. Mon entraîneur estim . . . que je jou . . . bien.
   2. Espèr . . . -tu qu'ils te répond . . . rapidement?
   3. Louise lanc . . . et marqu . . . un deuxième but.
   4. Les voitures circul . . . lentement à l'heure de pointe.
   5. Je pens . . . que tu néglig . . . ton travail.

b) **Complétez les verbes suivants avec la finale qui convient: *ais, ait,* ou *aient.* Indiquez à quelle personne est conjugué le verbe.**
   1. Tu te dout . . . qu'elles ment . . . ?
   2. Les danseurs exécut . . . une chorégraphie compliquée.
   3. Je chanter . . . si l'on m'en donn . . . l'occasion.
   4. Rougiss . . . -tu en écoutant ces paroles flatteuses?
   5. L'artiste peign . . . un tableau abstrait.

c) **Complétez les verbes suivants avec la finale qui convient: *ons* ou *ont*.
Indiquez à quelle personne est conjugué le verbe.**
  1. Les grandes oies blanches s'envoler . . . à l'aube.
  2. Nous planifi . . . notre journée.
  3. Dépêch . . . -nous, le match va commencer!
  4. Pourr . . . -ils entrer au cinéma sans laissez-passer?
  5. Les musiciens interpréter . . . trois oeuvres nouvelles.

d) **Composez une phrase avec les verbes suivants aux personnes et aux
temps demandés.**
  1. (*plier*) au présent de l'indicatif, 3e personne du singulier
  2. (*sourire*) au présent de l'indicatif, 3e personne du singulier
  3. (*cacher*) au présent de l'indicatif, 1re personne du singulier
  4. (*trouver*) à l'imparfait, 2e personne du singulier
  5. (*chercher*) à l'imparfait, 3e personne du singulier

LES VERBES À LA 2ᵉ PERSONNE DU SINGULIER

OBSERVEZ BIEN LES VERBES SUIVANTS.

Présent	Passé simple	Futur	Imparfait
tu étudies	tu étudias	tu étudieras	tu étudiais
tu finis	tu finis	tu finiras	tu finissais

☆ RÈGLE

Le verbe, à la 2ᵉ personne du singulier, prend un **s**.
Ex.: *Tu étudies, tu étudieras, tu étudiais.*
Exceptions: *tu veux, tu peux, tu vaux.*

POUR APPLIQUER LA RÈGLE

a) **Conjuguez les verbes suivants à la 2ᵉ personne du singulier du présent de l'indicatif.**

travailler	accomplir	prendre	obtenir
oublier	finir	éteindre	coudre
couper	ternir	apercevoir	perdre
vérifier	nourrir	vendre	tondre

b) **Conjuguez chaque verbe à la 2ᵉ personne du singulier du présent, de l'imparfait, du passé simple et du futur simple.**

chanter	finir	entendre	partager	ficeler
réparer	répondre	conduire	envoyer	encourager

c) **Conjuguez les verbes suivants au présent de l'indicatif.**
   1. Le chien gratte à la porte: la lui (*ouvrir*)-tu?
   2. Tu m'(*apporter*) un joli bouquet de fleurs.
   3. Tu (*pouvoir*) courir plus vite si tu le (*vouloir*).
   4. (*Entendre*)-tu venir le train?

d) **Conjuguez les verbes suivants à l'imparfait de l'indicatif.**

Tu (*partager*)   Tu (*arranger*)   Tu (*protéger*)
Tu (*encourager*)   Tu (*voyager*)

e) **Qu'observez-vous? Comment s'écrit la terminaison des verbes en -*ger* à la 2ᵉ personne du singulier de l'imparfait?**

LES VERBES À LA 3ᵉ PERSONNE DU SINGULIER

◼ OBSERVEZ BIEN LES VERBES SUIVANTS.

1. Paul entendit la cloche. Il entendit.
2. Nancy entendit la cloche. Elle entendit.

☆ RÈGLE

Aux temps simples de la voix active, le verbe ne s'accorde jamais en genre.

Ex.: *Il entendit/elle entendit.*

POUR APPLIQUER LA RÈGLE

a) Conjuguez les verbes suivants au présent de l'indicatif.
1. Le soleil (*resplendir*).
2. La fillette (*resplendir*) de joie.
3. Le chiendent (*envahir*) le jardin.
4. La mouche noire (*envahir*) les bois.
5. La feuille (*jaunir*).
6. Le papier (*jaunir*).
7. Le sang (*jaillir*).
8. La source (*jaillir*).
9. Le lièvre (*bondir*).
10. La biche (*bondir*).

b) Choisissez la terminaison convenable du participe passé (-i, -ie) ou du verbe (-it).
1. La dinde (*farcir*) (*cuire*) au four.
2. Le poulet (*farcir*) (*cuire*) au four.
3. Le cochon bien (*nourrir*) sera gras.
4. La volaille (*nourrir*) aux hormones est moins savoureuse.
5. Le soleil (*éblouir*) les yeux.
6. La neige (*éblouir*) les yeux.
7. Le garçon (*éblouir*) regardait le père Noël.
8. La pomme (*pourrir*) au fond du panier.
9. La pomme (*pourrir*) a gâté tout le panier.
10. Le pain (*moisir*) très rapidement.
11. On a jeté le pain (*moisir*).

c) Relevez les participes passés de l'exercice précédent. Qu'observez-vous?

d) Quelle différence voyez-vous entre le verbe à la 3ᵉ personne du singulier et le participe passé?

LES HOMOPHONES

☐ OBSERVEZ BIEN LES MOTS SUIVANTS.

Colonne A		Colonne B	
un travail	un éveil	je travaille	j'éveille
un réveil	un accueil	je réveille	j'accueille
un conseil	un détail	je conseille	je détaille
un sommeil	un recueil	je sommeille	je recueille
un appareil		j'appareille	

a) Que remarquez-vous sur l'orthographe des mots de la colonne A?
b) Que remarquez-vous sur l'orthographe des mots de la colonne B?
c) La prononciation vous aide-t-elle à orthographier ces mots correctement?

Dans la colonne A
a) Quelle sorte de mot accompagne **travail**?
b) Par quel autre mot pourriez-vous remplacer **un**?
c) Quelle conclusion pouvez-vous tirer sur l'orthographe des mots de la colonne A accompagnés d'un article comme **le** ou **un**?
d) Quelle sorte de mot **travail** est-il?

Dans la colonne B
a) Quelle sorte de mot accompagne **travaille**?
b) Par quel autre mot pourriez-vous remplacer **je**?
c) Quelle conclusion pouvez-vous tirer sur l'orthographe des mots de la colonne B accompagnés d'un pronom personnel comme **je** ou **il**?
d) Quelle sorte de mot **travaille** est-il?

☆ RÈGLE

Les mots comme **travail/travaille** s'écrivent **travail** quand ce sont des noms. Ils sont alors précédés d'un article. Ils s'écrivent **travaille** quand ce sont des verbes. Ils sont alors précédés d'un nom ou d'un pronom.
Ex.: *un conseil / je conseille.*

POUR APPLIQUER LA RÈGLE

Écrivez correctement les mots entre parenthèses.

1. Votre (*accueil*) a été chaleureux.
2. La nature a connu un (*réveil*) tardif.
3. Anna se (*réveil*) toujours très tôt.
4. Jean a corrigé le moindre (*détail*).
5. Nous avons reçu ce (*conseil*) avec plaisir.
6. Le passager (*sommeil*) dans le train.
7. Ce (*travail*) est ardu.
8. Leur (*appareil*) de télévision ne fonctionne pas.
9. La couturière (*appareil*) les tissus.
10. Je te (*conseil*) d'attendre.

LA GRAPHIE DU SON *I* À LA FIN D'UN VERBE

OBSERVEZ BIEN LES VERBES SUIVANTS.

Colonne A	Colonne B	Colonne C
il crie	il envahit	il rit
il étudie	il sévit	il lit
il plie	il punit	il écrit
il associe	il maigrit	il dit
il parie	il avertit	il prédit
il se marie	il bondit	il suit
il supplie	il réfléchit	il conduit
il manie	il accomplit	il détruit
il vérifie	il atterrit	il construit
il justifie	il applaudit	il poursuit

Tous ces verbes se terminent par le son *i*.

a) Que remarquez-vous sur l'orthographe des verbes de la colonne A?
b) Comment se termine l'infinitif de ces verbes?
c) Quel est le verbe modèle qui sert à conjuguer ces verbes?

a) Que remarquez-vous sur l'orthographe des verbes de la colonne B?
b) Comment se termine l'infinitif de ces verbes?
c) Quel est le verbe modèle qui sert à conjuguer ces verbes?

a) Que remarquez-vous sur l'orthographe des verbes de la colonne C?
b) Comment se termine l'infinitif de ces verbes?

☆ RÈGLE

Tous les verbes qui se terminent par le son **i** à la 3ᵉ personne du singulier s'écrivent avec un **t**, sauf ceux qui ont leur infinitif en **-er**.
Ex.: *punir/il punit; crier/il crie.*

POUR APPLIQUER LA RÈGLE

Composez une phrase en utilisant les verbes suivants à la 3ᵉ personne du singulier du présent de l'indicatif.

1. adoucir
2. agir
3. copier
4. finir
5. interdire
6. skier
7. réussir
8. copier
9. s'instruire
10. apprécier

LA GRAPHIE DU SON *É* À LA FIN D'UN VERBE

OBSERVEZ BIEN LES PHRASES SUIVANTES.

1. Je remporterai le premier prix!
2. Mes amis ont remporté la victoire.
3. Sylvie va chercher ses souliers de course.
4. Mes parents viennent d'arriver de voyage.
5. Vous arrivez tôt.

☆ RÈGLE

Le son **é** dans la terminaison des verbes peut s'écrire **ai, é, er, ez**.
Les deux cas à ne pas confondre sont:
   -é dans le cas du participe passé, il peut alors s'accorder;
   -er dans le cas d'un infinitif, il est alors invariable.

Le verbe s'écrit à l'infinitif s'il suit immédiatement un autre verbe ou s'il est précédé d'une préposition.
   Ex.: *Elle a remporté la victoire. / Elle va remporter la victoire.*

POUR APPLIQUER LA RÈGLE

a) Choisissez la bonne graphie, *-é* ou *-er*, pour compléter les phrases suivantes.

   1. Nous aimerions visit . . . un pays ensoleill . . .
   2. On entend chant . . . les oiseaux qui ont bien mang . . .
   3. Le chat est prêt à griff . . . s'il est menac . . .
   4. Il s'apprête à allum . . . sa pipe.
   5. Le cheval n'arrête pas de piaff . . .
   6. Regarde s'envol . . . ces oiseaux effray . . .

b) Composez cinq phrases contenant un participe passé en *-é*.

c) Composez cinq phrases contenant un verbe terminé par *-er*.

LA GRAPHIE DU SON *É* À LA FIN D'UN VERBE (ce verbe est précédé d'un autre verbe et d'un pronom personnel)

OBSERVEZ BIEN LES PHRASES SUIVANTES.

1. Pablo veut bien te **parler**.
2. Hélène saura rapidement nous **trouver**.
3. Les enfants voudraient sûrement le **toucher**.
4. J'aimais tant les **regarder**.

a) Que remarquez-vous sur l'orthographe des verbes en caractères gras?
b) La prononciation vous aide-t-elle à orthographier ces mots correctement? Pourquoi?

OBSERVEZ BIEN LES PHRASES SUIVANTES.

Colonne A
1. Pablo veut bien te **parler**.
2. Hélène saura rapidement nous **trouver**.
3. Les enfants voudraient sûrement le **toucher**.
4. J'aimais tant les **regarder**.

Colonne B
1. Pablo veut bien te défendre.
2. Hélène saura rapidement nous suivre.
3. Les enfants voudraient sûrement l'atteindre.
4. J'aimais tant les voir.

Vous remarquez que les phrases de la colonne B sont construites de la même façon que celles de la colonne A:

sujet + verbe + (adverbe) + pronom + verbe

a) Quels sont les verbes qui, dans la colonne B, ont remplacé les verbes en caractères gras?
b) À quel temps et à quel mode sont ces verbes qui ont remplacé les verbes en caractères gras?
c) Si on peut remplacer les verbes en caractères gras par d'autres verbes à l'infinitif présent, que pouvez-vous conclure sur le mode des verbes de la colonne A?
d) Comment les écrirez-vous?

☆ RÈGLE

Les verbes qui se terminent par le son **é** et qu'on peut remplacer par l'infinitif présent d'un verbe d'un autre groupe s'écrivent **-er**.

    Ex.: *J'aimais le regarder (j'aimais le voir).*

POUR APPLIQUER LA RÈGLE

Écrivez correctement les verbes qui se terminent par le son é (-é ou -er).

1. Tu sauras bien nous guid . . .
2. Je ne sais pas tellement te conseill . . .
3. Mes parents n'aiment pas beaucoup nous surveill . . .
4. Les élèves ne veulent pas trop lui parl . . .
5. Je n'ose pas trop les regard . . .
6. Vous n'aimez pas tellement nous accompagn . . .
7. Marc ne sait pas bien les abord . . .
8. Ces enfants n'aiment pas beaucoup nous regard . . .
9. Maria n'apprend pas à vous écout . . .
10. Je ne saurais pas les aid . . .

LA GRAPHIE DU SON *É* À LA FIN D'UN VERBE (ce verbe est précédé de l'auxiliaire AVOIR à la forme négative)

▐ OBSERVEZ BIEN LES PHRASES SUIVANTES.

1. Je n'ai pas bien **travaillé.**
2. Les élèves n'avaient pas trop **veillé.**
3. Les joueurs n'auront pas vraiment **gagné.**
4. Julie n'a pas tellement **mangé.**

a) **Que remarquez-vous sur l'orthographe des verbes en caractères gras?**
b) **Est-ce que la prononciation vous aide à bien orthographier ces mots? Pourquoi?**

▐ OBSERVEZ BIEN LES PHRASES SUIVANTES.

Colonne A
1. Je n'ai pas bien **travaillé.**
2. Les élèves n'avaient pas trop **veillé.**
3. Les joueurs n'auront pas vraiment **gagné.**
4. Julie n'a pas tellement **mangé.**

Colonne B
1. Je n'ai pas bien réussi.
2. Les élèves n'avaient pas trop souri.
3. Les joueurs n'auront pas vraiment couru.
4. Julie n'a pas tellement appris.

Vous remarquez que les phrases de la colonne B sont construites de la même façon que celles de la colonne A:

sujet + négation + avoir + (adverbe) + verbe

a) **Quels sont les verbes qui, dans la colonne B, ont remplacé les verbes en caractères gras de la colonne A?**
b) **Ces verbes sont-ils à l'infinitif?**
c) **Si on ne peut pas remplacer les verbes en caractères gras par d'autres verbes à l'infinitif, que pouvez-vous conclure sur le mode de ces verbes?**
d) **Comment les écrirez-vous?**

Les verbes qui se terminent par le son **é** et qu'on ne peut pas remplacer par l'infinitif d'un verbe d'un autre groupe s'écrivent **-é** (ou **-és, -ée, -ées**).

    Ex.: *Je n'ai pas bien travaillé (je n'ai pas bien réussi).*

POUR APPLIQUER LA RÈGLE

Écrivez correctement les verbes qui se terminent par le son *é* (-é ou -*er*).

1. Je n'ai pas longtemps cherch . . .
2. Elle n'a jamais particip . . .
3. Mes parents n'ont pas beaucoup voyag . . .
4. Carole et Nathalie n'avaient pas bien écout . . .
5. Vous n'avez pas beaucoup chang . . .
6. Les élèves n'ont pas bien travaill . . .
7. Je n'avais pas tellement exagér . . .
8. Nous n'avons pas assez regard . . .
9. Ces enfants n'ont pas vraiment progress . . .
10. Elles n'ont pas du tout boug . . .

LA GRAPHIE DU SON *É* À LA FIN D'UN VERBE (ce verbe est précédé de l'auxiliaire ÊTRE à la forme négative)

◻ OBSERVEZ BIEN LES PHRASES SUIVANTES.

1. Il n'a pas été bien **écouté.**
2. Les élèves n'étaient pas trop **éveillés.**
3. Les joueuses ne seront pas vraiment **fêtées.**
4. Cette fillette n'est pas tellement **fatiguée.**

a) Que remarquez-vous sur l'orthographe des verbes en caractères gras?
b) Est-ce que la prononciation vous aide à bien les orthographier? Pourquoi?

◻ OBSERVEZ BIEN LES PHRASES SUIVANTES.

Colonne A
1. Il n'a pas été tellement **écouté.**
2. Les élèves n'étaient pas trop **éveillés.**
3. Les joueuses ne seront pas vraiment **fêtées.**
4. Cette fillette n'est pas réellement **fatiguée.**

Colonne B
1. Il n'a pas été tellement suivi.
2. Les élèves n'étaient pas trop endormis.
3. Les joueuses ne seront pas vraiment reçues.
4. Cette fillette n'est pas réellement admise.

Vous remarquez que les phrases de la colonne B sont construites de la même façon que celles de la colonne A:

sujet + négation + être + (adverbe) + verbe

a) Quels sont les verbes qui, dans la colonne B, ont remplacé les verbes en caractères gras?
b) Ces verbes sont-ils à l'infinitif?
c) Si on ne peut pas remplacer les verbes en caractères gras par d'autres verbes à l'infinitif, que pouvez-vous conclure sur le mode de ces verbes?
d) Peuvent-ils se terminer par *er*?
e) Pourquoi ne s'écrivent-ils pas tous en é?

☆ RÈGLE ──────────────────────────────

Les verbes qui se terminent par le son **é** ne peuvent pas s'écrire **-er** si on ne peut pas les remplacer par l'infinitif d'un verbe d'un autre groupe.

Ex.: *Il n'a pas bien écouté (il n'a pas bien suivi).*

S'ils sont accompagnés de l'auxiliaire **être**, ils s'écriront **-é, -ée, -és, -ées,** selon le genre et le nombre du sujet.

Ex.: *Elle n'est pas fatiguée, ils ne sont pas fatigués.*

POUR APPLIQUER LA RÈGLE

Écrivez correctement les verbes suivants.

1. Ces conseils n'ont pas été tellement appréci . . .
2. Notre maison n'a pas été souvent visit . . .
3. Ce voyage n'est pas très conseill . . .
4. Les spectatrices n'ont pas été grandement impressionn . . .
5. Les prix ne seront pas beaucoup modifi . . .
6. Cette marchandise n'est pas suffisamment demand . . .
7. Les règlements ne sont pas très bien appliqu . . .
8. La nouvelle n'a pas été assez vérifi . . .
9. Nos employés n'ont pas été remplac . . .
10. Mes consignes n'avaient pas été respect . . .

LA GRAPHIE DU SON *É* À LA FIN D'UN VERBE (ce verbe est précédé d'un autre verbe à la forme négative)

 OBSERVEZ BIEN LES PHRASES SUIVANTES.

1. Je ne veux pas **parler.**
2. Elle n'aime pas **étudier.**
3. Nous ne voulons pas **écouter.**
4. Ils ne peuvent pas **marcher.**

a) **Que remarquez-vous sur l'orthographe des verbes en caractères gras?**
b) **La prononciation vous aide-t-elle à bien les orthographier? Pourquoi?**

OBSERVEZ BIEN LES PHRASES SUIVANTES.

Colonne A
1. Je ne veux pas **parler.**
2. Elle n'aime pas **étudier.**
3. Nous ne voulons pas **écouter.**
4. Ils ne peuvent pas **marcher.**

Colonne B
1. Je ne veux pas mentir.
2. Elle n'aime pas courir.
3. Nous ne voulons pas entendre.
4. Ils ne peuvent pas voir.

a) **À quel mode sont les verbes de la colonne B qui ont remplacé les verbes en caractères gras de la colonne A?**
b) **Que pouvez-vous conclure sur le mode des verbes en caractères gras dans la colonne A?**
c) **Comment les écrirez-vous?**

⭐ RÈGLE

Les verbes qui se terminent par le son **é** s'écrivent **-er** si on peut les remplacer par l'infinitif d'un verbe d'un autre groupe. Quand deux verbes se suivent, le deuxième est toujours à l'infinitif sauf si le premier est l'auxiliaire **avoir** ou **être**.

Ex.: *Je ne veux pas parler (je ne veux pas mentir).*
Ex.: *Elle n'aime pas étudier, elle n'a pas bien étudié.*

POUR APPLIQUER LA RÈGLE

Écrivez correctement les verbes suivants.

1. Cet animateur ne sait pas communiqu . . .
2. Vos enfants ne veulent pas écout . . .
3. Carl ne devait pas tard . . .
4. On ne devrait jamais travaill . . .
5. Nous ne savons pas chant . . .
6. Sylvie n'aime pas march . . .
7. Tu ne devrais pas t'inquiét . . .
8. Elles ne savaient pas étudi . . .
9. Il ne peut pas racont . . .
10. Elle ne voulait jamais décid . . .

LA GRAPHIE DU SON *É* À LA FIN
D'UN VERBE (récapitulation)

Vous avez appris plusieurs règles pour écrire correctement le son *é* dans les terminaisons des verbes. Pouvez-vous maintenant appliquer ces règles dans tous les cas suivants?

POUR APPLIQUER LES RÈGLES

Écrivez correctement les verbes suivants : *-er* ou *-é (-ée, -és, -ées)*.

1. Sophia veut bien l'aid . . .
2. Cette élève n'a pas bien travaill . . .
3. Elle n'a pas été mal renseign . . .
4. Nous n'avions pas voulu march . . .
5. Il saura comment les retrouv . . .
6. Vous n'aviez pas complètement termin . . .
7. Les fillettes n'étaient pas bien habill . . .
8. Éric n'aurait pas tellement chang . . .
9. Henry ne sera pas accompagn . . .
10. J'aime beaucoup vous rencontr . . .
11. Elle ne doit pas fum . . .
12. Nous n'avons pas pu chant . . .
13. Ces travaux ne sont pas entièrement achev . . .
14. Je ne pourrais pas écout . . .
15. Vous avez voulu vraiment nous inform . . .

L'ACCORD DU VERBE

1. Le vent secoue l'arbre.
2. Les enfants jouent au sous-sol.
3. Ma mère et mon père aiment les voyages.

☆ RÈGLE

Le verbe s'accorde en nombre et en personne avec son sujet.
On trouve le sujet en posant la question **qui est-ce qui?**
Deux sujets singuliers sont considérés comme un sujet pluriel.
Qui est-ce qui **secoue?** le vent, 3e personne du singulier, donc **secoue (e)**.
Qui est-ce qui **joue?** les enfants, 3e personne du pluriel, donc **jouent (ent)**.
Qui est-ce qui **aime?** ma mère et mon père, 3e personne du pluriel, donc **aiment (ent)**.

POUR APPLIQUER LA RÈGLE

a) Conjuguez les verbes suivants au présent de l'indicatif.
1. Josué (*cueillir*) des tomates.
2. Les frites (*griller*) dans la poêle.
3. Je (*prendre*) l'autobus demain.
4. Le cuisinier (*salir*) son tablier.
5. Les musiciens (*accorder*) leurs violons.

b) Trouvez le pronom correspondant au sujet en italique.
   Ex.: *Mes parents* sont jeunes. Mes parents = ils
1. *Les hirondelles* volent bas.
2. *Les Vietnamiens* aiment rire.
3. *L'enfant* pleure.
4. *Maria* dessine.
5. *Ton frère et toi* parlez sans arrêt.
6. *Le moineau et l'étourneau* envahissent les pelouses.
7. *Les roses et les jacinthes* ornent le parterre.
8. *Les pies* jacassent.
9. *L'agate et l'améthyste* sont des pierres dures.
10. *Ma soeur et moi* aimons le hockey.

c) **Mettez les phrases suivantes au singulier.**
   1. Les élèves sont fatigués.
   2. Mes amies aiment danser.
   3. Les tulipes ont fleuri.
   4. Les cuisiniers salissent leur tablier.
   5. Les ouvrières travaillent fort.

d) **Mettez les phrases suivantes au pluriel.**
   1. L'enfant pleure.
   2. La pluie détruit la récolte.
   3. Le pommier fleurit au printemps.
   4. Le joueur marque un but.
   5. Le téléphone sonne.

e) **Accordez le verbe avec son sujet (le verbe est au présent de l'indicatif).**
   1. Cette autoroute et ce chemin (*conduire*) au village.
   2. Le renard et la belette (*visiter*) le poulailler.
   3. La jument et son poulain (*galoper*) dans le champ.
   4. La haie et l'arbrisseau (*reverdir*) au printemps.
   5. La rivière et le lac (*inonder*) le village.

L'ACCORD DU VERBE
(le sujet est séparé du verbe par un pronom personnel)

OBSERVEZ BIEN LES PHRASES SUIVANTES.

1. Papa cueille des roses et les met dans un vase.
2. Les merles américains s'abattent sur la récolte et la détruisent.
3. Ils l'écoutent attentivement.
4. Je les trouve stupides!

☆ RÈGLE

Le verbe s'accorde toujours avec son sujet.
Le, la, les, l' placés devant le verbe sont des pronoms personnels et non des articles. On fait l'accord seulement quand **le, la, les, l'** sont suivis d'un nom.

Ex.: *Elle* **les** *écoute attentivement,* **les** *élèves écout***ent** *attentivement.*

POUR APPLIQUER LA RÈGLE

a) **Conjuguez les verbes suivants au présent de l'indicatif.**

1. Il les (*cueillir*).
2. Elles l' (*énerver*).
3. Tu l' (*écraser*).
4. Je les (*oublier*).
5. Ils le (*voir*).
6. Elle la (*casser*).
7. Il les (*étudier*).
8. On les (*conduire*).
9. Ils le (*saisir*).
10. Il les (*guérir*).

b) **Conjuguez les verbes suivants à l'imparfait de l'indicatif.**

1. Ce conte les (*émerveiller*).
2. Les infirmières les (*soigner*).
3. Il les (*conduire*) à la ville.
4. L'enfant les (*placer*) en ordre.
5. Je les (*prévenir*).

c) **Conjuguez les verbes suivants au présent de l'indicatif.**
   1. Les policiers l' (*arrêter*).
   2. Les élèves l' (*écouter*).
   3. Le feu est pris, les pompiers l' (*éteindre*).
   4. La chaleur et la fumée l' (*étouffer*).
   5. La pluie l' (*ennuyer*).

d) **Dans quels cas *le, la, les, l'* sont-ils des pronoms?**

e) **Dans quels cas *le, la, les, l'* sont-ils des articles?**

L'ACCORD DU VERBE
(le sujet est le pronom *ON*)

■ OBSERVEZ BIEN LES PHRASES SUIVANTES.

Colonne A
1. On **aime** jouer.
2. On **chante** souvent.
3. On **mérite** une récompense.
4. On **joue** longtemps.

Colonne B
1. Les enfants **aiment** jouer.
2. Les enfants **chantent** souvent.
3. Les enfants **méritent** une récompense.
4. Les enfants **jouent** longtemps.

a) **Que remarquez-vous sur l'orthographe des verbes en caractères gras?**
b) **La prononciation vous dit-elle si le verbe est au singulier ou au pluriel? Pourquoi?**
c) **Quel est le sujet des verbes dans la colonne A?**
   À quelle personne sont conjugués les verbes de la colonne A?
d) **Quel est le sujet des verbes dans la colonne B?**
   À quelle personne sont conjugués les verbes de la colonne B?

■ OBSERVEZ BIEN LES PHRASES SUIVANTES.

Colonne A
1. On **aime** jouer.
2. On **chante** souvent.
3. On **mérite** une récompense.
4. On **joue** longtemps.

Colonne B
1. On **aimera** jouer.
2. On **chantera** souvent.
3. On **méritera** une récompense.
4. On **jouera** longtemps.

a) **À quelle personne sont conjugués les verbes de la colonne B?**
b) **Que deviendraient ces verbes à la 3ᵉ personne du pluriel?**
c) **La prononciation vous aide-t-elle à conclure qu'on ne peut pas mettre ces verbes à la 3ᵉ personne du pluriel quand ils ont comme sujet *on*?**

☆ RÈGLE

Les verbes qui ont comme sujet le pronom **on** se conjuguent à la 3ᵉ personne du singulier.

Ex.: **On** *aime jouer;* **on** *chante souvent.*

POUR APPLIQUER LA RÈGLE

a) Écrivez correctement les verbes entre parenthèses.
   Mettez-les d'abord à l'indicatif présent.

   a) On (*utiliser*) une règle.
   b) Les élèves (*travailler*) bien.
   c) My Linh (*préparer*) une fête.
   d) Il (*se diriger*) vers l'école.
   e) On (*arriver*) à destination.
    f) Elle (*manger*) de la tarte.
   g) On (*chercher*) le coupable.
   h) Paul (*crier*) à tue-tête.
    i) On (*observer*) les autres.
    j) On (*passer*) devant cette maison.

b) Refaites le même exercice en mettant les verbes à l'imparfait de l'indicatif.

L'ACCORD DU VERBE
(le sujet est séparé du verbe par une apposition ou par une proposition relative)

OBSERVEZ BIEN LES PHRASES SUIVANTES.

1. Ces enfants **aiment** jouer.
2. Ces enfants, qui sont en santé, **aiment** jouer.
3. Ces enfants, mes neveux, **aiment** jouer.

a) **Que remarquez-vous sur l'orthographe des verbes en caractères gras?**
b) **Quel est le sujet de** *aiment* **dans l'exemple 1?**
c) **Quel est le sujet de** *aiment* **dans l'exemple 2?**
d) **Quel est le sujet de** *aiment* **dans l'exemple 3?**
e) **La présence d'un groupe de mots (proposition relative) entre le sujet et le verbe influence-t-elle l'orthographe du verbe dans l'exemple 2?**
f) **La présence d'un groupe de mots (apposition) entre le sujet et le verbe influence-t-elle l'orthographe du verbe dans l'exemple 3?**

OBSERVEZ BIEN LES PHRASES SUIVANTES.

1. Paul **étudie** bien.
2. Paul, qui aime l'école, **étudie** bien.
3. Paul, votre camarade, **étudie** bien.

a) **Que remarquez-vous sur l'orthographe des verbes en caractères gras?**
b) **Quel est le sujet de** *étudie* **dans l'exemple 1?**
c) **Quel est le sujet de** *étudie* **dans l'exemple 2?**
d) **Quel est le sujet de** *étudie* **dans l'exemple 3?**
e) **La présence d'un groupe de mots (proposition relative) entre le sujet et le verbe influence-t-elle l'orthographe du verbe dans l'exemple 2?**
f) **La présence d'un groupe de mots (apposition) entre le sujet et le verbe influence-t-elle l'orthographe du verbe dans l'exemple 3?**

OBSERVEZ BIEN LES PHRASES SUIVANTES.

1. Ces élèves **sont doués** pour les sports.
2. Ces élèves, qui sont de futurs athlètes, **sont doués** pour les sports.
3. Ces élèves, jeunes athlètes, **sont doués** pour les sports.

a) Que remarquez-vous sur l'orthographe des verbes en caractères gras?
b) Quel est le sujet de *sont doués* dans l'exemple 1?
c) Quel est le sujet de *sont doués* dans l'exemple 2?
d) Quel est le sujet de *sont doués* dans l'exemple 3?
e) La présence d'un groupe de mots (proposition relative) entre le sujet et le verbe influence-t-elle l'orthographe du verbe dans l'exemple 2?
f) La présence d'un groupe de mots (apposition) entre le sujet et le verbe influence-t-elle l'orthographe du verbe dans l'exemple 3?

☆ RÈGLE

Les verbes séparés de leur sujet par un groupe de mots s'accordent quand même avec leur sujet.

> **Ex.: *Ces élèves*,** qui sont de futurs athlètes, **sont doués** pour les sports.

POUR APPLIQUER LA RÈGLE

Écrivez correctement les verbes entre parenthèses.
Mettez-les à l'indicatif présent.

1. Le docteur Mélançon, médecin de la famille, (*examiner*) les enfants.
2. La candidate que j'ai interviewée (*obtenir*) l'emploi.
3. Les jeux que nous préférons (*devenir*) populaires.
4. Montréal, métropole du Canada, (*se développer*) rapidement.
5. Cet appartement, situé au nord, ne (*recevoir*) jamais de soleil.
6. Ces souvenirs, objets précieux, (*coûter*) très cher.
7. Ces plantes, d'origine tropicale, (*manquer*) de soleil.
8. Ce livre, que j'aime beaucoup, (*faire partie*) d'une collection.
9. L'ami que tu as rencontré (*arriver*) demain.

L'ACCORD DU VERBE
(le sujet est un nom collectif sans complément)

■ OBSERVEZ BIEN LES PHRASES SUIVANTES.

1. La foule s'impatiente.
2. Un tel groupe inquiète l'orateur.
3. Le troupeau se disperse.
4. Ces administrateurs travaillent beaucoup, un bon nombre réussira.

☆ RÈGLE

Le verbe reste au singulier quand son sujet est un nom collectif qui n'est pas suivi d'un complément. (Un nom collectif représente un groupe.)

Ex.: *La foule* s'impatiente.

POUR APPLIQUER LA RÈGLE

Choisissez un des deux verbes entre parenthèses pour compléter ces phrases.

Après la cinquième disparition, une grande foule (*s'assembla/ s'assemblèrent*) devant l'hôtel de ville et (*exigea/exigèrent*) que la mairesse rencontre une délégation de citoyens. Le lendemain, un groupe (*se présenta/se présentèrent*) à son bureau. Dans cette délégation, la majorité (*était/étaient*) des mères de famille qui venaient exprimer leur colère. Un bon nombre (*reprochait/ reprochaient*) à la mairesse de ne rien faire pour faire cesser la terreur qui régnait sur la ville. Ce groupe lui (*fit/firent*) comprendre que, si des mesures immédiates n'étaient pas prises, on demanderait au gouverneur que la troupe (*intervienne/interviennent*).

L'ACCORD DU VERBE
(plusieurs sujets de personnes différentes)

◻ OBSERVEZ BIEN LES PHRASES SUIVANTES.

1. Toi et moi sommes du même âge.
2. Toi et lui êtes du même âge.
3. Vous et nous sommes du même âge.
4. Eux et vous êtes du même âge.
5. Lui et moi partirons bientôt.
6. Elle et toi partirez bientôt.
7. Elle et nous partirons bientôt.
8. Elle et vous partirez bientôt.

☆ RÈGLE

Si les sujets désignent des personnes différentes :
- la 1re personne l'emporte toujours sur la 2e personne
  (le verbe se met alors à la 1re personne du pluriel) ;
  > **Ex.:** *Toi et **moi sommes** du même âge.*
  > *Lui et **moi partirons** bientôt.*
- la 2e personne l'emporte toujours sur la 3e personne
  (le verbe se met alors à la 2e personne du pluriel).
  > **Ex.:** *Toi et lui **êtes** du même âge.*
  > *Elle et **toi partirez** bientôt.*

POUR APPLIQUER LA RÈGLE

Mettez les verbes suivants à l'indicatif présent.
1. Mes amis et moi (*croire*) que la justice et le bon droit (*s'imposer*).
2. Ses parents et vous (*sembler*) très bien le comprendre.
3. Cette fille et nous (*chercher*) la réussite même si elle et vous (*craindre*) la défaite.
4. Eux et nous (*porter*) les bagages tandis que toi et Pierre (*ranger*) la voiture.
5. Vous et nous (*avoir*) un travail urgent à faire.

L'ACCORD DU VERBE
(le sujet est le pronom relatif *QUI*)

 OBSERVEZ BIEN LES PHRASES SUIVANTES.

1. On offrira un souvenir à Hélène qui quitte son poste de présidente.
2. Tous les espaces qui existent seront occupés.
3. Evert, Navratilova et Austin seront les trois joueuses qui représenteront les États-Unis.
4. Radisson voulait connaître personnellement tous ceux qui l'accompagneraient dans son expédition.
5. Il me faut des chansons qui me plaisent.
6. Au cours de cette émission, on pourra voir Heidi et Tran qui voyagent à bord d'un voilier.
7. Les jeunes filles qui le désirent pourront s'inscrire à ce cours.
8. On craint ceux qui promettent trop.

☆ RÈGLE

Le verbe dont le sujet est le pronom relatif **qui** s'accorde avec le mot qu'il remplace.

Ex.: *On craint **ceux qui** promett**ent** trop.*

POUR APPLIQUER LA RÈGLE

Choisissez un des deux verbes entre parenthèses pour compléter ces phrases.

La fermeté de Carlos et d'Anna surprenait tous ceux qu'ils (*rencontrait/rencontraient*). Depuis six mois, ils ne cessaient de voir des gens qui (*pouvait/pouvaient*) les aider. Selon eux, la situation qui (*existait/existaient*) était favorable à leur projet. Ils voulaient fonder une association qui (*viendrait/viendraient*) en aide aux jeunes qui (*éprouvait/éprouvaient*) des difficultés d'adaptation. Pour trouver les fonds qui leur (*manquait/manquaient*), ils avaient sollicité l'aide de deux hommes d'affaires qui leur (*avait/avaient*) versé une somme substantielle. Grâce à cette dernière, ils avaient pu meubler un local qui leur (*servait/servaient*) de lieu de rencontre et retenir les services de trois assistantes sociales qui se (*chargeait/chargeaient*) des démarches auprès des autorités.

L'ACCORD DU VERBE
(le sujet est encadré par l'expression *C'EST . . . QUI*)

OBSERVEZ BIEN LES PHRASES SUIVANTES.

1. C'est moi qui prends la relève.
2. C'est toi qui chantes faux.
3. C'est Beverly qui a dit la vérité.
4. C'est nous qui offrirons les meilleures garanties.
5. C'est vous qui partirez les premiers.
6. C'est Louise et André qui fixent la date.
1. C'est moi qui travaille ici.
2. C'est toi qui travailles ici.
3. C'est elle qui travaille ici.
4. C'est nous qui travaillons ici.
5. C'est vous qui travaillez ici.
6. C'est eux qui travaillent ici.

☆ RÈGLE

Le verbe qui suit l'expression **c'est . . . qui** s'accorde avec le mot placé entre **c'est** et **qui**.

Ex.: *C'est **toi** qui chantes faux.*
*C'est **vous** qui travaillez ici.*

POUR APPLIQUER LA RÈGLE

a) **Conjuguez les verbes au temps indiqué.**

C'est nous qui vous (*prévenir*, futur) lorsque le directeur arrivera. Si nous ne nous trompons pas, c'est vous qui (*demander*, passé composé) cette entrevue.

C'est moi qui (*prendre*, imparfait) les décisions et c'est toi qui les (*exécuter*, imparfait). De plus, c'est Mauricio et Jeanne qui t' (*aider*, imparfait) dans ton travail. En somme, c'est vous qui (*être*, imparfait) responsables du succès de notre entreprise.

b) Complétez les phrases suivantes avec *moi, toi, lui, nous* ou *eux*.

C'est . . . qui aime la musique mais c'est . . . qui as reçu des billets pour le concert et c'est . . . qui te les a donnés. Au fond, ça n'a aucune importance puisque c'est . . . qui en profiterons. Lorsque nous arriverons à la salle, nous n'aurons qu'à présenter ces billets aux hôtes et c'est . . . qui nous indiqueront nos sièges.

L'ACCORD DU VERBE
(le sujet suit le verbe)

■ OBSERVEZ BIEN LES PHRASES SUIVANTES.

1. Comprends-tu?
2. Quelles sont les jeunes filles de moins de seize ans dans cette classe?
3. Comment se portent vos grands-pères depuis leur départ pour la chasse?
4. Ont-ils fini par dire où ils allaient en fin de semaine, ces trois chenapans-là?
5. À peine parlent-elles plus fort que leurs camarades, ces deux-là, quand elles passent à l'oral, et pourtant d'ordinaire...
6. Arrive le soir que je me repose!
7. Puissent-elles dire à leur professeur que l'étude des sujets du verbe est compliquée!
8. Qu'ont dit vos parents quand vous leur avez annoncé votre décision de partir en voyage en groupe au début des vacances d'été?
9. Mon ami Pierre, disait Lucie en guise d'excuse, ne viendra pas à la soirée : il est retenu au bureau.
10. Dépêchez-vous, mesdemoiselles, sinon nous n'arriverons jamais à temps à notre rendez-vous.

a) Quelle règle pouvez-vous formuler pour justifier l'accord de chacun des verbes dans ces dix phrases?

b) Est-ce une règle où il est question d'un sujet qui suit le verbe?

☆ RÈGLE

Certaines formulations de phrase commandent l'inversion du sujet. Il faut donc prendre garde de bien identifier le sujet (ou les sujets) qui se trouve après le verbe avant de faire accorder ce verbe.

Ex.: *Comprends-**tu**? Dépêchez-**vous**! Vienne **le soir**!*

POUR APPLIQUER LA RÈGLE

Accordez le verbe principal des phrases suivantes.

1. Sans doute ma voisine arménienne (*s'être*)-elle (*désister*) après vous avoir parlé, chère madame Toan.
2. Quels (*être*) les intérêts des Cambodgiens aujourd'hui, eux qui ont été dispersés dans un si grand nombre de pays depuis le génocide dont tant des leurs ont été les victimes?
3. Samorn et Luc (*apprécier*)-ils les mathématiques au point d'en faire toute la fin de semaine?
4. «Claudia, (*dire*) Lucia et Marco en choeur, ne fais pas ça, tu vas te blesser!»
5. (*Hâter*)-nous si nous ne voulons pas rater le départ pour Rio de Janeiro.
6. Pourquoi Jimmy et Patsy (*avoir*)-ils (*mettre*) leur maison de style victorien en vente?
7. (*Apprendre*)-nous, cher professeur, à écrire un français correct si nous produisons plus souvent des discours écrits?
8. (*Advenir*) que pourra.
9. En quelle langue (*s'exprimer*) ces trois Chinoises, en mandarin ou en cantonais?
10. (*Vouloir*)-vous connaître Fernando, mon ami argentin?

L'ACCORD DU VERBE
(le sujet est un nom collectif ou un adverbe de quantité suivis d'un complément)

1 UN GROUPE, UNE FOULE, UN GRAND NOMBRE, UNE MAJORITÉ, ETC.

OBSERVEZ BIEN LES PHRASES SUIVANTES.

1. Un groupe de spectateurs (*se précipita/se précipitèrent*) vers la sortie à la fin du film.
2. Une foule de gens (*pensera/penseront*) que vous avez tort si vous prononcez votre conférence comme vous l'avez écrite, chère madame Gravel.
3. Une multitude de personnes (*a joint/ont joint*) ce mouvement politique de gauche après la défaite de leur parti aux élections nationales.
4. Une grande quantité de gens (*était venue/étaient venus*) à la fête de la Saint-Jean aux plaines d'Abraham.
5. Un bon nombre de militaires (*a défilé/ont défilé*) lors de la manifestation organisée à l'occasion du jour du Souvenir.
6. La majorité des filles de la ville (*aime/aiment*) aller danser le vendredi soir, après le travail ou les études de la semaine.
7. Une nuée d'oiseaux (*s'envola/s'envolèrent*) au premier coup de feu.
8. Une bande de voyous (*a été arrêtée/ont été arrêtés*) par les policiers de Hull.

a) **Le verbe se met-il au singulier ou au pluriel dans ces phrases? Expliquez chacun de vos choix.**
b) **Quelle règle formulez-vous pour justifier l'accord des verbes précédés d'un nom collectif?**
c) **Est-ce une règle stricte ou changeante comme la pensée que vous désirez exprimer?**

⭐ RÈGLE

Un nom collectif est un nom qui désigne un ensemble d'êtres ou d'objets.

Ex.: *foule, majorité, groupe, bande, etc.*

Le verbe dont le sujet est un nom collectif suivi de son complément s'accorde avec celui des deux mots (le nom collectif ou le complément) qui domine la pensée ou attire le plus l'attention.

Ex.: *Une **foule** de partisans **acclame** la ministre.*

(L'accord se fait avec *foule* pour insister sur l'idée de rassemblement.)

*Une foule de **partisans acclamèrent** la ministre.*

(L'accord se fait avec *partisans* pour insister sur l'idée de grand nombre).

Le verbe s'accorde avec le nom collectif lorsque celui-ci est précédé d'un article défini, d'un adjectif possessif ou démonstratif ou accompagné d'une épithète ou d'une relative qui marquent nettement que c'est le collectif qui domine la pensée.

Ex.: *La **(ma, cette)** troupe de danseurs vous **enchantera**.*

*Une **nouvelle** troupe de danseurs vous **enchantera**.*

POUR APPLIQUER LA RÈGLE

a) Faites l'accord du verbe dans chacune des phrases suivantes.

1. L'ensemble de ces mesures économiques (*plaire*, indicatif futur simple) aux investisseurs.

2. Une infime partie des jeunes (*être inquiet*, indicatif imparfait) face à l'avenir.

3. L'équipe des Saguenéens junior majeur (*éprouver*, indicatif passé simple) souvent des ennuis à la défensive, et très peu à l'attaque.

4. Le groupe des ministres du gouvernement québécois (*voyager*, indicatif présent) aux frais des citoyens du Québec.

5. Une file de voitures (*suivre*, indicatif plus-que-parfait) le cortège officiel des invités du maire de Montréal.

b) Rédigez une courte phrase dans laquelle chacun des noms collectifs suivants est employé avec un verbe singulier, puis avec un verbe pluriel.

1. Un essaim
2. Une foule
3. Une partie
4. Un groupe
5. Une multitude
6. Une collection
7. Une série
8. Un petit nombre
9. Un grand nombre
10. Une majorité

2 LA PLUPART

OBSERVEZ BIEN LES PHRASES SUIVANTES.

1. La plupart des gens pensent que la guerre est imminente.
2. La plupart des humains parlent seulement leur langue maternelle.
3. La plupart sont favorables à cette dernière solution.

⭐ RÈGLE

Le verbe qui a pour sujet **la plupart** accompagné d'un complément de la 3e personne s'accorde avec le complément; si ce complément est sous-entendu, le verbe se met au pluriel.

Ex.: *La plupart des **gens pensent** que la guerre est imminente.*
*La plupart y **pensent**.*

3 LA MOITIÉ, LE QUART, UNE DIZAINE, UNE DOUZAINE, UNE CENTAINE, ETC.

OBSERVEZ BIEN LES PHRASES SUIVANTES.

1. Le tiers des représentants a voté pour cette loi peu populaire.
2. Plus de la moitié des militaires n'ont jamais connu la guerre.
3. Les trois quarts de cette ville sont détruits.
4. Le quart des habitants de cette planète souffre de la faim.

⭐ RÈGLE

Le verbe qui a pour sujet une **fraction au singulier** ou un **nom numéral au singulier** accepte deux accords:

a) au singulier, quand le terme quantitatif est pris dans un sens précis ou quand la pensée de celui qui écrit ou parle s'arrête sur ce terme plutôt que sur son complément;

Ex.: *Le **tiers** des représentants **a voté** pour cette loi peu populaire.*

b) au pluriel, quand le terme quantitatif est suivi d'un complément au pluriel (même s'il est sous-entendu) désignant un nombre approximatif.

Ex.: *Les trois **quarts** de cette ville **sont** détruits.*

4 LE PEU DE

■ OBSERVEZ BIEN LES PHRASES SUIVANTES.

1. Le peu de qualités qu'il montre en public le rend antipathique.
2. Le peu de qualités qu'il montrait étaient pourtant fort appréciées.

☆ RÈGLE

Le verbe qui a pour sujet **peu** (précédé d'un article, d'un démonstratif ou d'un possessif) suivi d'un complément :

a) s'accorde avec le mot **peu** si ce dernier exprime l'idée dominante de la phrase (**peu** donne alors un sens négatif à la phrase, le verbe se met au singulier) ;
   Ex.: *Le peu de qualités qu'il montre le rend antipathique.*

b) s'accorde avec le **mot complément** si ce dernier attire l'attention (le **mot complément** donne alors un sens positif à la phrase).
   Ex.: *Le peu de qualités qu'il montrait étaient pourtant fort appréciées.*

5 PLUS D'UN, MOINS DE DEUX

■ OBSERVEZ BIEN LES PHRASES SUIVANTES.

1. Plus d'un se dit qu'à chaque jour suffit sa peine.
2. Plus de trois mois se sont écoulés depuis notre dernière rencontre.
3. Plus d'un déshérité vit dans une grande ville comme Montréal.
4. Plus d'un garçon et plus d'une fille croient à un avenir prometteur.
5. Moins de deux ans lui suffiront pour se réadapter à sa nouvelle vie.

Le verbe qui a pour sujet **plus d'un** se met généralement au singulier.

    Ex.: *Plus d'un garçon croit à un avenir prometteur.*

Si **plus d'un** est répété dans la phrase, le verbe se met alors au pluriel.

    Ex.: *Plus d'un garçon et plus d'une fille croient à un avenir promet-teur.*

Le verbe qui a pour sujet **moins de deux** se met au pluriel.

    Ex.: *Moins de deux ans lui suffiront pour se réadapter à sa nouvelle vie.*

6 LE RESTE DE

■ OBSERVEZ BIEN LES PHRASES SUIVANTES.

1. Le reste des élèves est parti après les deux premiers groupes.
2. Le reste des malfaiteurs sont emmenés de force par les agents de la Sûreté du Québec.

Le verbe qui a pour sujet **le reste de** suivi d'un nom au pluriel se met au singulier ou au pluriel, suivant l'idée exprimée, mais le singulier semble prévaloir dans l'usage.

    Ex.: *Le reste des élèves est parti/sont partis après les deux pre-miers groupes.*

7 LE COMPLÉMENT DU SUJET EST *NOUS* ou *VOUS*

OBSERVEZ BIEN LES PHRASES SUIVANTES.

1. La plupart d'entre nous croient en Dieu.
2. Plusieurs d'entre vous ont menti.
3. Beaucoup d'entre nous pensent qu'il faudra recommencer.
4. Qui de nous est arrivé premier?
5. L'une de vous peut-elle me renseigner?

☆ RÈGLE

Le verbe qui a pour sujet une expression de quantité ayant comme complément le pronom **nous** ou **vous** se met à la 3e personne du pluriel, ordinairement.

Ex.: *La plupart d'entre **nous croient** en Dieu.*

Si le sujet est un singulier comme **chacun, l'un, un, pas un, personne, qui**, le verbe se met toujours à la 3e personne du singulier.

Ex.: ***L'une** de vous **peut**-elle me renseigner?*

POUR APPLIQUER LES RÈGLES

Justifiez l'accord des verbes dans les phrases suivantes.

1. La plupart des hommes *emploient* leur vie à améliorer leur sort.
2. La plupart *s'entendent* pour dire que le travail est formateur et valorisant.
3. La moitié des filles de la classe *sont* bronzées.
4. Un tiers de ces malheureux *se doutait* du destin tragique qui l'attendait.
5. Une centaine d'ouvriers de l'usine *étaient* choqués des conditions de travail qu'on leur faisait.
6. Le peu de gens venu à cette assemblée me *déçoit*.
7. Le peu de personnes qui vinrent à votre rencontre vous *accueillirent* avec beaucoup de chaleur.
8. Le peu de cheveux qu'un homme a sur la tête lui *donne* bien du charme, selon certaines femmes.
9. Le peu de cheveux que mon oncle a encore *forment* une couronne sur sa tête.

10. Plus d'un médecin *a fait* des études postdoctorales.
11. Moins de deux semaines *ont été* nécessaires pour construire ce hangar.
12. Plus d'un *se souviendra* longtemps de ce voyage à Victoriaville.
13. Plus d'un homme et plus d'une femme *se sont rencontrés* grâce à des amis communs.
14. Le reste des invités *s'est retiré* aux petites heures du matin.
15. La plupart de nous *comprennent* ce que les immigrants apportent en arrivant dans notre pays.
16. Beaucoup d'entre nous *espèrent* que demain sera meilleur qu'aujourd'hui.
17. Un grand nombre d'entre nous *auraient été* heureux de vivre une pareille expérience.
18. Pas un de nous ne *parut* déconcerté en écoutant le récit tragique de votre excursion.
19. Personne de nous ne *fait* attention à ce qui arrive à son voisin.
20. Chacun de nous *parle* du même sujet.

L'ACCORD DU VERBE
(les sujets sont joints par *OU* ou par *NI*)

□ OBSERVEZ BIEN LES PHRASES SUIVANTES.

1. Le Parti québécois ou le Parti libéral seront d'accord pour déclencher les élections.
2. Le Parti québécois ou le Parti libéral formera le prochain gouvernement.
3. Ni la force ni la douceur n'ont été utilisées.
4. Ni la force ni la douceur ne le fera avouer.
5. Ni l'un ni l'autre n'ont osé protester contre cette décision.
6. Ni l'un ni l'autre ne viendra à la réunion.
7. Ni vous ni moi n'y pouvons rien, hélas!
8. Ni vous ni sa mère n'y pouvez rien, hélas!
9. L'une ou l'autre de ces solutions a-t-elle été acceptée?
10. L'une et l'autre de ces solutions me semblent irréalistes.

a) Pourquoi, dans ces phrases, les verbes sont-ils parfois au singulier, parfois au pluriel?

b) Quelle règle formulez-vous pour justifier ces accords?

☆ RÈGLE

Lorsque deux ou plusieurs sujets de la 3e personne sont unis par **ou** ou par **ni**:

a) le verbe s'accorde avec les deux sujets si l'action ou l'état exprimé par le verbe se rapporte à chacun des sujets;

    Ex.: *La **richesse** ou la **gloire** n'**apportent** pas forcément le bonheur.*

b) le verbe s'accorde avec le sujet le plus rapproché si l'action ou l'état exprimé par le verbe se rapporte à l'un ou à l'autre des sujets mais pas aux deux.

    Ex.: *La richesse ou la **gloire était** son seul but.*

Si les sujets unis par **ou** ou par **ni** ne sont pas de la même personne, le verbe se met au pluriel, à la personne qui a la priorité (la 1re personne l'emporte sur la 2e, la 2e personne l'emporte sur la 3e).

    Ex.: *Ni Richard ni **moi** n'accepter**ons** un tel compromis!*

    *Ni vous ni **moi** ne démissionner**ons** jamais.*

    *Ou Lucille, ou Pierre, ou **toi** installer**ez** le papier peint dans la chambre de Julie.*

L'un ou l'autre (pronom ou adjectif) exige toujours un verbe au singulier.

L'un et l'autre (pronom) commande d'ordinaire un verbe au pluriel.

Ex.: *L'une ou l'autre de ces deux candidates **sera** choisie demain.*

*L'une et l'autre **devront** prononcer un discours devant l'assemblée.*

POUR APPLIQUER LA RÈGLE

a) **Faites l'accord des verbes dans les phrases suivantes.**

1. Ni toi ni moi n' (*aller*, futur simple) à cette fête de Dollard.
2. Ni Françoise ni Rosita ne (*faire*, indicatif présent) à manger pour leurs frères aînés.
3. Le soleil ou la pluie (*frapper*, indicatif présent) indistinctement tous les individus.
4. Il faut que ni ma soeur ni moi ne (*penser*, subjonctif présent) à mal dans cette histoire pourtant sordide.
5. Ou le ciel ou la terre (*se rebeller*, futur simple) devant l'injustice.

b) **Rédigez deux phrases dans lesquelles *ni* et *ou* sont employés tantôt avec un verbe singulier, tantôt avec un verbe pluriel.**

L'ACCORD DU VERBE

(les sujets sont joints par *AINSI QUE, COMME, AUSSI BIEN QUE, AUTANT QUE, DE MÊME QUE,* etc.)

OBSERVEZ BIEN LES PHRASES SUIVANTES.

1. Sa force, comme celle de son père, était légendaire.
2. Sa force aussi bien que son courage étaient légendaires.
3. Le Canada, comme les États-Unis, participera à cette conférence.
4. Le Canada ainsi que les États-Unis font partie de l'OTAN.
5. Le maskinongé, de même que la ouananiche, est un poisson d'eau douce.
6. Le *maskinongé* autant que la *ouananiche* sont des noms issus des langues amérindiennes.

a) Pourquoi, dans ces phrases, les verbes sont-ils parfois au singulier, parfois au pluriel?

b) Quelle règle formulez-vous pour justifier ces accords?

☆ RÈGLE

Lorsque deux sujets sont joints par **ainsi que, comme, avec, de même que, aussi bien que,** etc.:

a) le verbe s'accorde avec le premier sujet seulement si le deuxième sujet n'exprime qu'une comparaison et qu'il est entouré de virgules;

> **Ex.:** *Un grand **équilibriste**, ainsi qu'une acrobate renommée, **réussit** toujours à soulever les jeunes spectateurs d'un cirque.*

b) le verbe s'accorde avec les deux sujets si la conjonction qui les coordonne a le sens de *et* et s'ils ne sont *pas* séparés par une virgule.

> **Ex.:** *Ce grand **équilibriste** ainsi que cette **acrobate** renommée **réussissent** toujours à soulever les jeunes spectateurs du cirque.*

POUR APPLIQUER LA RÈGLE

a) **Complétez les phrases suivantes.**
1. Le froid de même que la neige...
2. La neige, comme la pluie,...
3. La santé autant que la richesse...
4. La santé, ainsi que la maladie,...

b) **Rédigez quatre phrases dans lesquelles *comme, ainsi que, de même que, aussi bien que* ou *autant que* seront employés tantôt avec un verbe singulier, tantôt avec un verbe pluriel.**

L'ACCORD DU VERBE
(le sujet est le pronom démonstratif *CE* ou *C'*)

☐ OBSERVEZ BIEN LES PHRASES SUIVANTES.

1. Ce sont de braves petites!
2. Ce n'est plus un secret pour personne.
3. Ce sont elles qui m'ont appelé les premières.
4. C'est eux qui le veulent!
5. C'est nous qui avons raison.
6. C'est vous qui le dites?
7. Tout cela, ce sont des mots, de simples mots.
8. Tout cela, ce sont des idioties de jeunesse.

☆ RÈGLE

Le verbe **être** qui a pour sujet le pronom **ce** se met au pluriel quand l'attribut est un nom pluriel ou un pronom de la 3e personne du pluriel.

> **Ex.:** *Ce sont de braves **petites**!*
> *Ce sont elles qui m'ont appelé les premières.*

Dans la langue familière ou courante, le singulier s'emploie également, en particulier dans des expressions comme **c'est eux, c'est elles** (qui / que)...

> **Ex.:** *C'est eux qui le veulent!*

On dit toujours, cependant, **c'est nous, c'est vous.**

> **Ex.:** *C'est nous qui avons raison.*

POUR APPLIQUER LA RÈGLE

Justifiez l'accord des verbes dans les phrases suivantes.
1. Ce *sont* eux qui ont raison.
2. C'*est* tout à votre honneur, chère madame, de parler ainsi après ce qui vous est arrivé.
3. C'*est* nous qui donnerons le spectacle de fin d'année.
4. Ce *sont* les jeunes filles qui obtiennent les meilleurs résultats dans l'ensemble des classes.
5. C'*est* eux qui l'auront voulu.
6. Ce *sont* elles, enfin, qui sortent de l'avion.

L'INFINITIF EN -*ER* OU LE PARTICIPE PASSÉ EN -*É*

OBSERVEZ BIEN LES PHRASES SUIVANTES.

1. Il faut **circuler**.
2. Il a **circulé**.
3. Ils sont **enflammés**.
4. Des gens **enflammés**.
5. Il s'est laissé **abuser**.
6. Il s'est **abusé**.
7. Vous devez **travailler**.
8. Vous avez **travaillé**.

a) Parmi les verbes en caractères gras, lesquels peut-on remplacer par l'infinitif *vendre*?

b) Peut-on remplacer tous les autres par le participe passé *vendu*?

☆ RÈGLE

On peut distinguer l'infinitif **-er** du participe passé **-é** en remplaçant le verbe dont on doute par **vendre** ou par **vendu**.

Si **vendu** s'emploie, il faut écrire **-é (e) (s)**.

Si **vendre** s'emploie, il faut écrire **-er**.

Ex.: *Il a circulé (il a vendu), il faut circuler (il faut vendre).*

POUR APPLIQUER LA RÈGLE

a) Dans les phrases suivantes, remplacez le verbe en italique par un de ces verbes:

se précipiter	immobiliser
penser	se placer
demander	asphalter
crier	indiquer

Le juge (*a exigé*) que les coureurs aillent (*se ranger*) à côté des concurrents (*désignés*). Quand l'arbitre (*a hurlé*), ils (*se sont élancés*) sur la piste (*goudronnée*). Il ne fallait plus (*songer*) à les (*arrêter*).

b) Écrivez de la façon voulue le mot entre parenthèses.

Tu peux l' (*écouter*) (*prêcher*) de cet endroit (*élevé*). Tu seras (*étonner*) et même (*enthousiasmer*) par sa façon de (*parler*). Il n'est jamais (*embarrasser*) par les questions (*poser*). Il est capable d' (*aborder*) tous les problèmes.

c) **Employez** *penser* **ou** *pensé(e)(s).*
   1. Il faut . . . à tout.
   2. Elle a . . . à tout.
   3. Tout a été bien . . .

   Employez *peser* **ou** *pesé(e)(s).*
   1. On doit . . . le pour et le contre.
   2. Il faut le voir . . . chaque décision.
   3. Des décisions bien . . .

   Employez *viser* **ou** *visé(e)(s).*
   1. Les objectifs . . .
   2. Les objectifs seront . . .
   3. On devra . . . ces objectifs.

   Employez *payer* **ou** *payé(e)(s).*
   1. Il pense à . . . ses comptes.
   2. Ses comptes ont été . . .
   3. Vous devez . . . vos comptes.

   On pourrait dire que, quand deux verbes se suivent, le second est à l'infinitif. Mais est-ce vrai dans tous les cas?

d) **Infinitif en** *-er,* **ou participe passé en** *-é?* **À vous de l'écrire correctement.**
   Madame, vous devrez vous (*présenter*) à l'heure (*fixer*) pour (*donner*) les informations (*demander*) par les personnes (*désigner*). Il est (*assurer*) que tous les frais (*exiger*) vous seront (*rembourser*) par notre compagnie. Vous devrez (*planifier*) votre horaire pour (*arriver*) à neuf heures. Nous osons (*espérer*) que les indications (*donner*) sauront vous (*aider*).

L'ACCORD DU PARTICIPE PASSÉ
(employé seul ou avec *ÊTRE, PARAÎTRE, SEMBLER, DEVENIR, RESTER*)

OBSERVEZ BIEN LES PHRASES SUIVANTES.

1. Les chiots abandonnés se lamentaient.
2. Cette maison semble abandonnée.
3. Les travaux sont abandonnés faute de volontaires.

☆ RÈGLE

Le participe passé employé seul s'accorde en genre et en nombre avec le mot auquel il se rapporte, comme un adjectif qualificatif.

Ex.: *Les chiots* abandonnés se lamentaient.

Le participe passé employé avec **être, paraître, sembler, devenir, rester** s'accorde en genre et en nombre avec le sujet du verbe.

Ex.: *Cette maison* semble abandonnée.

POUR APPLIQUER LA RÈGLE

a) Soulignez le participe passé dans les phrases suivantes.
1. Les fleurs sont trempées de rosée.
2. J'aime les murs couverts de lierre.
3. Les aliments bien mastiqués se digèrent mieux.
4. Parce qu'elle est malade, grand-maman reste couchée.
5. Nous sommes arrivés en retard.

b) Avec quel mot s'accorde chacun des participes passés soulignés dans l'exercice précédent?

c) Écrivez correctement les mots qui sont entre parenthèses.
1. Les semailles seront (*terminer*) cette semaine.
2. La mer (*déchaîner*) menace notre barque.
3. Le bonhomme dans la lune semblait (*endormir*).
4. Nous sommes (*déborder*) de travail.
5. L'été (*terminer*), nous repartirons vers la ville.

d) Composez cinq phrases contenant un participe passé:
1. employé seul;
2. employé avec *être*;
3. employé avec *sembler*;
4. employé avec *paraître*;
5. employé avec *devenir*.

L'ACCORD DU PARTICIPE PASSÉ
(l'auxiliaire est *AVOIR*,
il n'y a pas de complément d'objet)

 OBSERVEZ BIEN LES PHRASES SUIVANTES.

1. Marie a **travaillé** dans ce magasin.
2. Mes amis ont **mangé** ici hier.
3. Ces élèves ont **réussi**.
4. Ces arbres ont **grandi** beaucoup depuis l'an passé.

Dans les phrases ci-dessus, les participes passés sont en caractères gras.

a) **Que remarquez-vous sur l'orthographe de ces participes passés?**
b) **Avec quel auxiliaire sont-ils conjugués?**
c) **Ces verbes ont-ils un complément?**
d) **Ces verbes ont-ils un complément d'objet?**
D'après vos observations sur ces exemples, quelle conclusion pouvez-vous tirer sur les participes passés employés avec *avoir* sans complément d'objet?

⭐ RÈGLE

Les participes passés employés avec l'auxiliaire **avoir** ne s'accordent pas s'ils n'ont pas de complément d'objet.
   Ex.: *Marie a travaillé; ces élèves ont réussi; ces arbres ont grandi.*

POUR APPLIQUER LA RÈGLE

Écrivez correctement les participes passés des verbes entre parenthèses.
1. Elle a (*dormi*) toute la nuit.
2. Ces enfants ont (*grandi*).
3. Je n'avais pas très bien (*écouté*).
4. Vous avez (*couru*) longtemps.
5. Elle a (*progressé*) depuis quelque temps.
6. Ses parents ont (*vieilli*).
7. Sa blessure a (*guéri*) pendant la semaine.
8. Vous avez bien (*changé*).
9. Les soldats ont (*obéi*).
10. Tu as beaucoup (*travaillé*).

L'ACCORD DU PARTICIPE PASSÉ
(l'auxiliaire *AVOIR* est précédé d'un pronom personnel)

OBSERVEZ BIEN LES PHRASES SUIVANTES.

1. Tu (lui) as **dit** de faire attention.

2. Tu (leur) as **parlé** de cette affaire.

3. Tu (nous) avais **parlé** de cette affaire.

4. Tu (m') aurais **précisé** ce détail.

Dans les phrases ci-dessus, les participes passés sont en caractères gras.

a) Que remarquez-vous sur l'orthographe de ces participes passés?
b) Avec quel auxiliaire sont-ils employés?
c) Les mots encerclés sont des pronoms personnels.
   Sont-ils des compléments d'objet des verbes?
   Sont-ils des compléments d'objet direct des verbes?

OBSERVEZ BIEN LES PHRASES SUIVANTES.

1. Tu (nous) as **avertis** de faire attention.

2. Tu (les) as **conseillés** pour cette affaire.

3. Tu (les) avais **choisis** pour ce travail.

4. Il (vous) aurait **informés** de ce détail.

Dans les phrases ci-dessus, les participes passés sont en caractères gras.

a) Que remarquez-vous sur l'orthographe de ces participes passés?
b) Avec quel auxiliaire sont-ils employés?
c) Les mots encerclés sont des pronoms personnels.
   Sont-ils des compléments d'objet des verbes?
   Sont-ils des compléments d'objet direct des verbes?

D'après les observations que vous avez faites dans les exercices a) et b), quelle conclusion pouvez-vous tirer sur l'accord des participes passés employés avec *avoir* et précédés d'un pronom personnel?

☆ RÈGLE

Les participes passés précédés d'un pronom personnel s'accordent en genre et en nombre avec le pronom personnel si celui-ci est un complément d'objet direct. (Le genre et le nombre du pronom personnel sont ceux du mot qu'il remplace.)

Ex.: *Tu **m'**as conseillé (m' = Paul), tu **m'**as conseillée (m' = Marie).*
*Tu **les** as conseillés (les = tes amis), tu **les** as conseillées (les = tes amies).*

POUR APPLIQUER LA RÈGLE

Écrivez correctement les participes passés des verbes entre parenthèses.

a) Les enfants sont venus; je les ai (*accompagné*) là-bas.

b) Ce film, ils l'avaient tous (*vu*) au cinéma.

c) Je leur ai (*rendu*) ce travail.

d) Ces exercices sont difficiles; nous les avons (*fait*) hier.

e) Nous lui avons (*présenté*) ces projets; elle les a (*accepté*).

f) Ces pommes sont délicieuses; quand les avez-vous (*cueilli*)?

g) Ce fruit était bon; je l'ai (*mangé*) avec appétit.

h) Nous leur avons (*indiqué*) ces chemins qui les ont (*mené*) jusqu'ici.

i) Ces tâches étaient difficiles mais nous les avons (*réussi*).

j) Je lui ai (*dit*) ce que je pensais.

L'ACCORD DU PARTICIPE PASSÉ
(les règles principales — récapitulation)

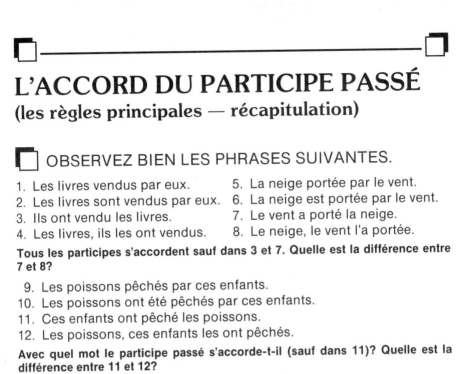

OBSERVEZ BIEN LES PHRASES SUIVANTES.

1. Les livres vendus par eux.
2. Les livres sont vendus par eux.
3. Ils ont vendu les livres.
4. Les livres, ils les ont vendus.
5. La neige portée par le vent.
6. La neige est portée par le vent.
7. Le vent a porté la neige.
8. Le neige, le vent l'a portée.

Tous les participes s'accordent sauf dans 3 et 7. Quelle est la différence entre 7 et 8?

9. Les poissons pêchés par ces enfants.
10. Les poissons ont été pêchés par ces enfants.
11. Ces enfants ont pêché les poissons.
12. Les poissons, ces enfants les ont pêchés.

Avec quel mot le participe passé s'accorde-t-il (sauf dans 11)? Quelle est la différence entre 11 et 12?

13. Les maisons construites par Luigi.
14. Les maisons sont construites par Luigi.
15. Luigi a construit les maisons.
16. Les maisons, Luigi les a construites.

a) **Dans quelle phrase le participe passé s'accorde-t-il comme un adjectif parce qu'il n'y a pas d'auxiliaire?**
b) **Dans quelle phrase s'accorde-t-il avec le sujet?**
c) **Dans quelle phrase s'accorde-t-il avec le complément direct placé avant lui?**

☆ RÈGLE

Le participe passé employé seul s'accorde avec le nom comme un adjectif.

Ex.: *La neige portée par le vent.*

Le participe passé employé avec **être** s'accorde avec le sujet du verbe.

Ex.: *La neige est portée par le vent.*

Le participe passé employé avec **avoir** s'accorde avec le complément d'objet direct s'il est placé **avant** lui.

Ex.: *La neige, le vent l'a portée.*

Quand le complément d'objet direct est placé **après** le participe passé, celui-ci reste invariable.

Ex.: *Le vent a porté la neige.*

a) Relevez les participes passés employés seuls, les participes passés employés avec l'auxiliaire *être*, les participes passés employés avec l'auxiliaire *avoir*.

Défendue par d'excellents avocats, Mme Desbiens a été acquittée. Sa cause a été entendue par le juge Deshaies. Désespéré, le plaignant a demandé justice. Le juge a semblé l'écouter; mais il ne s'en est pas occupé.

b) Transformez les phrases suivantes pour que le verbe entre parenthèses devienne un participe passé employé de quatre façons différentes:
1. un participe passé employé seul,
2. un participe passé employé avec **être**,
3. un participe passé employé après **avoir**,
4. un participe passé employé avec un complément d'objet direct placé devant **avoir**.

A) L'entrevue (*accorder*) par l'artiste.
B) Ces chansons (*composer*) par Brassens.
C) Les spectacles (*donner*) par ces comédiens.

c) Complétez les phrases suivantes en accordant les participes passés s'il y a lieu:

Les directeurs ont (*réuni*) tous les ouvriers et toutes les ouvrières (*intéressé*). Ils les ont (*averti*). Après une heure de menaces (*voilé*), les ouvriers se sont (*retiré*). Ils ont (*crié*) aux patrons qu'ils avaient été mal (*avisé*) de les menacer. Ils étaient (*décidé*) à se venger. Quelques jours furent (*utilisé*) à établir un plan (*détaillé*). Les ouvriers (*spécialisé*) avaient (*bâclé*) leur travail. Les dernières pièces (*perforé*) furent (*précipité*) sur les machines (*arrêté*). Tous les départements, à ce signal, ont (*débrayé*). Tous les hommes ont (*envahi*) les couloirs. Ils ont (*saccagé*) la cantine. Ils ont (*brisé*) les vitres. Ils sont (*descendu*) dans la cour et ils ont (*molesté*) les surveillants (*débordé*) par un tel nombre. Aux dernières nouvelles, la direction (*atterré*) dit ne rien comprendre à ce qui s'est (*passé*). Les policiers (*demandé*) sur les lieux n'ont (*pu*) appréhender personne. Tous étaient (*rentré*) à la maison. L'usine (*touché*) par les mécontents sera (*fermé*) pour un temps (*illimité*). Les spécialistes, (*avisé*) par les autorités, ont (*tenté*) d'estimer les dommages (*causé*). Ils n'y sont pas (*parvenu*).

d) **Mettez au participe passé les verbes entre parenthèses et accordez-les.**

1. Ils sont (*partir*).
2. Elles ont (*skier*) longtemps.
3. Elles n'ont pas (*vieillir*).
4. Leurs victoires ont été bien (*accueillir*).
5. Les nouvelles qu'ils nous ont (*apporter*) nous ont (*bouleverser*).
6. Les cours que vous avez (*suivre*), vous les comprendrez quand vous les aurez (*revoir*) attentivement.
7. La route qu'il a (*suivre*) est sûre.
8. De nombreuses espèces d'animaux ont (*disparaître*).
9. Plusieurs points de sa démonstration m'ont (*échapper*).
10. Les observations qu'on lui a (*faire*) ne lui ont pas (*servir*).
11. Elles les ont (*encourager*) depuis le début.
12. Ce sont ces places qu'on a (*réserver*) pour les handicapés.
13. Sa voix a (*trembler*) d'émotion.
14. Les subventions qui nous sont (*verser*) sont insuffisantes.
15. Ils ne parlent que des choses qu'ils ont (*voir*) à la télévision.
16. Cette lettre, il l'a (*écrire*) de sa propre main.
17. (*Partir*) dès le matin, les voyageurs revinrent (*abattre*), (*affamer*), les mains et la figure (*marquer*) par le froid.
18. Les livres que je vous ai (*prêter*), j'aurais (*désirer*) les voir (*rendre*) le plus tôt possible.
19. Les lettres de menaces que m'a (*écrire*) cet individu, je les ai vite (*déchirer*) et (*jeter*) au panier.
20. On vous a longtemps (*chercher*), Mesdames.

▢ OBSERVEZ BIEN LES PHRASES SUIVANTES.

1. Voici la liste des personnes que j'ai contactées.
2. Je connais tous ceux que tu m'as présentés.
3. Aziza songeait à tous les actes qu'elle avait posés.
4. Les règles que nous avons rédigées n'ont pas été respectées.
5. Tu comptais les autos que nous avions vues.
6. Les gens savaient que tu avais gagné.
7. Nous reconnaissons que nous avons perdu la partie.
8. Ils déclarent qu'ils ont acheté cette machine.
9. Vous êtes certains qu'elles ont triché.
10. Carlo exige que vous travailliez.

⭐ RÈGLE

Le participe passé conjugué avec **avoir** s'accorde avec le mot placé devant **que**.

Ex.: *Voici la liste des **personnes** que j'ai contact**ées**.*

Le **que** qui apparaît dans ces phrases est un pronom relatif.

Il se distingue de la conjonction **que** parce qu'un nom ou un pronom est toujours placé devant lui.

Ex.: *Je connais tous **ceux que** tu m'as présentés (que = pronom relatif).*
*Je reconnais **que** j'ai perdu la partie (que = conjonction).*

POUR APPLIQUER LA RÈGLE

Complétez les phrases suivantes en accordant les participes passés s'il y a lieu.

1. Toutes les chansons que tu as écout... ont été sélectionn... à partir de disques que nous avons achet... Nous avons remarqu... que tu les as aim..., même si parfois elles étaient loin du genre de musique que tu aurais préfér... entendre.

2. Nous avons félicit... certains élèves qui n'ont pas hésit... à se lancer dans des analyses que nous leur avions présent... Ils ont estim... à juste titre que nous avions tent... de les intéresser.

L'ACCORD DU PARTICIPE PASSÉ
(employé avec *AVOIR* et suivi d'un infinitif)

▢ OBSERVEZ BIEN LES PHRASES SUIVANTES.

1. Cette cantatrice, je l'ai entendue chanter.
2. Cette romance, je l'ai entendu chanter.
3. Ces arbres, je les ai vus pousser.
4. Ces arbres, je les ai vu abattre.

★ RÈGLE

Le participe passé conjugué avec **avoir** et suivi d'un infinitif ne s'accorde avec le complément d'objet direct qui le précède que si celui-ci est également sujet de l'infinitif.

Ex.: *Cette cantatrice, je l'ai **entendue** chanter.*
(J'ai entendu la cantatrice; elle chantait.) (OUI)

*Cette romance, je l'ai **entendu** chanter.*
(J'ai entendu la romance; quelqu'un la chantait.) (NON)

Moyens de vérifier si l'accord se fait:
  a) Intercaler le complément d'objet direct entre le participe passé et l'infinitif.
   Ex.: *J'ai entendu cette cantatrice chanter.* (OUI)
   J'ai entendu cette romance chanter. (NON)

  b) Changer l'infinitif par une proposition relative à l'imparfait ou par l'expression «en train de...»
   Ex.: *J'ai entendu cette cantatrice qui chantait.* (OUI)
   J'ai entendu cette romance qui chantait. (NON)

   Quand la phrase garde son sens premier, le participe passé s'accorde avec le complément d'objet direct.

POUR APPLIQUER LA RÈGLE

Découvrez dans les phrases suivantes quel est le véritable sujet de l'infinitif en vous servant des deux moyens suggérés plus haut.
Le participe passé s'accordera avec le complément d'objet direct si en a) et en b) la phrase garde son sens premier.

1. Les outardes que j'ai (*regardé*) partir vers le Sud formaient un triangle dans le ciel.
   a) J'ai regardé les outardes partir.
   b) J'ai regardé les outardes qui partaient.

2. Les élèves que j'ai (*entendu*) protester seront expulsées.
   a) J'ai entendu les élèves protester.
   b) J'ai entendu les élèves qui protestaient.

3. Cette dame que j'ai (*envoyé*) chercher m'a témoigné une vive reconnaissance.
   a) J'ai envoyé cette dame chercher.
   b) J'ai envoyé cette dame qui cherchait.

4. L'avocate que j'ai (*cherché*) à joindre était absente.
   a) J'ai cherché l'avocate à joindre.
   b) J'ai cherché l'avocate qui joignait.

5. Les prisonniers que nous avons (*vu*) s'enfuir sont revenus enchaînés.
   a) Nous avons vu les prisonniers s'enfuir.
   b) Nous avons vu les prisonniers qui s'enfuyaient.

6. Les militantes que nous avons (*vu*) condamner ont été réhabilitées.
   a) Nous avons vu les militantes condamner.
   b) Nous avons vu les militantes qui condamnaient.

CAS PARTICULIERS

Certains participes passés suivis d'un infinitif restent toujours **invariables**. Il s'agit:
   a) du participe passé **fait** considéré comme auxiliaire;
      Ex.: *Ses partisans? Il les a **fait** combattre jusqu'au bout.*
      *La prisonnière? Il l'a **fait** exécuter à l'aube.*
   b) des verbes d'opinion **cru, affirmé, assuré, dit, espéré, souhaité, estimé, nié, pensé, prétendu,** etc.;
      Ex.: *Voici la solution qu'il avait **pensé** être la meilleure.*
   c) des participes passés précédés de **en**.
      Ex.: *Des tentatives, j'en ai **vu** échouer en grand nombre!*

Certains cas restent ambigus et bien des auteurs font l'accord ou non selon le sens.
   Il s'agit des participes passés **laissé, eu, donné**.
      Ex.: *Les épreuves que j'ai **eus** à affronter.*
      (J'ai eu quoi? des épreuves à affronter.)
      *Les épreuves que j'ai **eu** à affronter.*
      (J'ai eu quoi? à affronter des épreuves.)

Mais la tendance actuelle est de faire l'accord suivant la règle générale énoncée plus haut.

POUR APPLIQUER LA RÈGLE

Appliquez les règles d'accord du participe passé dans les phrases suivantes.

1. Les travailleurs qu'on a (*empêché*) d'entrer sont regroupés devant l'usine.
2. Le règlement que vous avez (*essayé*) d'adopter n'a pas reçu bonne presse.
3. L'infirmière que j'ai (*observé*) travailler à l'urgence de l'hôpital connaissait drôlement son métier.
4. Une feuille d'arbre que j'avais (*laissé*) sécher dans mon dictionnaire s'est désagrégée quand j'ai voulu la prendre.
5. Une Salvadorienne qu'on a (*reconnu*) être membre d'un parti national est arrivée hier à Montréal.
6. Les étoiles qu'on m'a (*demandé*) de décrire brillaient fortement hier soir.
7. Les deux garçonnets que nous avons (*réussi*) à adopter sont originaires d'Haïti.
8. C'est cette mission qu'elle a (*souhaité*) remplir pour son pays.
9. L'entraîneur nous a (*fait*) courir tout autour du stade.
10. Des mécontents, j'en ai (*entendu*) se plaindre!

L'ACCORD DU PARTICIPE PASSÉ
(les verbes pronominaux)

 OBSERVEZ BIEN LES PHRASES SUIVANTES.

1. Pierre et Paul se sont battus.
2. Elle s'est coupé le doigt; elle s'est coupée au doigt.
3. Ils se sont tus.
4. Pierre et Paul se sont dit des injures.
5. Pierre et Paul se sont dits émus.
6. Les sacrifices qu'il s'est imposés.
7. Elles se sont succédé.
8. Ils se sont évanouis.
9. Nous nous sommes joués de la difficulté.
10. Elle s'est souvenue de sa mésaventure.

☆ RÈGLE

Le participe passé à la forme pronominale se conjugue avec l'auxiliaire **être** et deux pronoms de la même personne: **je me, tu te, elle se, nous nous,** etc., ou un nom sujet et un pronom de la même personne.

Ex.: *Elle s'est coupée; **nous nous** sommes tus; **Pierre et Paul se** sont battus.*

Pour accorder le participe passé à la forme pronominale, observez les étapes suivantes.

a) Distinguez d'abord s'il s'agit d'un verbe **essentiellement** (toujours) pronominal ou **accidentellement** (pas toujours) pronominal.

■ Un verbe est **essentiellement** pronominal quand il se conjugue obligatoirement avec les deux pronoms. Ainsi en est-il du verbe *s'absenter*; on dit: *je m'absente* et non *j'absente.* Voici quelques-uns de ces verbes toujours pronominaux:

s'absenter	s'emparer	se formaliser	se parjurer
s'abstenir	s'empresser	s'immiscer	se prélasser
s'accouder	s'enfuir	s'infiltrer	se raviser
s'adonner	s'entraider	s'ingénier	se rebeller
s'arroger	s'envoler	s'insurger	se réfugier
se blottir	s'éprendre	se lamenter	se repentir
se dédire	s'évader	se méfier	se ressourcer
se démener	s'évanouir	se méprendre	se soucier
se désister	s'évertuer	se moquer	se souvenir
s'écrier	s'exclamer	s'obstiner	se suicider
s'efforcer	s'extasier	se pâmer	

Le participe passé de ces verbes s'accorde toujours avec le sujet, sauf celui de *s'arroger*.

■ Un verbe est **accidentellement** pronominal quand il peut se conjuguer à la forme active, avec un seul pronom.

Ex.: *Je m'aime, j'aime.*

b) Si le verbe est **essentiellement** pronominal, le participe passé s'accorde comme le participe passé employé avec l'auxiliaire *être*, c'est-à-dire avec le sujet du verbe.

Ex.: *Les murs se sont écroulés.*

Elles se sont abstenues de voter.

Ils se sont souvenus.

Elles se sont écriées.

Exception: *Ils se sont arrogé des privilèges.*

c) Si le verbe est **accidentellement** pronominal, on remplace l'auxiliaire *être* par l'auxiliaire *avoir* et on cherche le complément d'objet direct.

  1° Si le pronom *se* est complément d'objet direct, le participe s'accorde.

  Ex.: *Elles se sont attendues au coin de la rue.*

    [Elles ont attendu qui? *se* mis pour *elles*.]

    Ils se sont aimés.

    [Ils ont aimé qui? *se* mis pour *eux*.]

    Elle s'est bien placée pour voir.

    [Elle a bien placé qui? *s'* mis pour *elle*.]

  2° Si le pronom *se* n'est pas complément d'objet direct, trois cas peuvent se présenter:

    ■ ou bien le verbe exige toujours un complément d'objet indirect lorsqu'il est à la forme active; le participe est alors invariable:

    Ex.: *Les présidents s'étaient succédé tour à tour.*

      [Les présidents avaient succédé à qui? à *se* mis pour *eux*.]

    ■ ou bien le pronom *se* est complément d'objet indirect, mais il est précédé d'un complément d'objet direct avec lequel le participe s'accorde:

    Ex.: *Les cartes qu'ils se sont envoyées.*

      [Ils ont envoyé quoi? *qu'* mis pour *les cartes*; à qui? à *se* mis pour *ils*.]

    La maison qu'il s'est construite.

      [Il a construit quoi? *qu'* mis pour *la maison*; à qui? à *se* mis pour *il*.]

■ ou bien le pronom *se* n'est ni complément d'objet direct ni complément d'objet indirect. Il est alors sans fonction logique, c'est-à-dire qu'il n'occupe pas de fonction dans la phrase. Il est comme une sorte de préfixe et, dans ce cas, le verbe est considéré comme essentiellement pronominal, ce qui signifie que le participe s'accorde toujours avec le sujet. Ainsi en est-il des verbes suivants: *s'apercevoir de, s'attendre à, se douter de, s'échapper de, se garder de, se jouer de, s'occuper de, se passer de, se plaindre de, s'y prendre, se tromper de.*

Ex.: *Ils* se sont aperçus de leur erreur.
***Elles* s'y sont prises** trop tard.

POUR APPLIQUER LA RÈGLE

Mettez au participe passé les verbes entre parenthèses et accordez-les s'il y a lieu.

1. Elles se sont (*attendre*) au succès.
2. Les ministres se sont (*pencher*) sur le problème.
3. Ils se sont (*poser*) des questions.
4. Ces questions, il se les est (*poser*).
5. Nous nous sommes (*douter*) de notre erreur.
6. Elle s'était (*arroger*) des droits exorbitants.
7. Les malheurs se sont (*abattre*) sur la famille.
8. Elle s'est beaucoup (*assagir*).
9. Les orateurs se sont (*adresser*) à l'assemblée.
10. Ils se sont (*assurer*) une bonne retraite.
11. Elle s'est (*efforcer*) de nous convaincre.
12. Lui et moi nous nous sommes (*imaginer*) des chimères.
13. Les choses qu'ils se sont (*imaginer*) ne se sont jamais (*produire*).
14. La foule s'est (*émouvoir*) de son malheur et s'est (*taire*).
15. Elle s'est (*faire*) belle.
16. Elle s'est (*laisser*) séduire.
17. Elles s'y sont bien (*prendre*) pour convaincre.
18. La nouvelle s'est très vite (*propager*).
19. Elle s'en est (*vouloir*) de s'être (*faire*) critiquer.
20. Ils se sont (*baigner*) dans la rivière puis se sont (*emparer*) d'une chaloupe et se sont (*promener*) toute la soirée.
21. Céline, tu t'es (*persuader*) trop vite. Ils se sont (*jouer*) de nous.
22. Durant l'inflation, nous nous sommes (*imposer*) des sacrifices, mais nous nous les sommes (*imposer*) volontairement.

L'ACCORD DU PARTICIPE PASSÉ
(les cas particuliers)

 OBSERVEZ BIEN LES PHRASES SUIVANTES.

1. Les trois kilomètres qu'il a couru; les dangers qu'il a courus.
2. Quelle patience il t'a fallu!
3. La fillette que j'ai entendue chanter; les airs que j'ai entendu chanter.
4. Des élèves découragés, nous en avons rencontré.
5. Ces disques sont plus chers que je l'avais estimé.
6. Le peu de confiance que vous m'avez témoigné m'a découragé.
   Le peu de confiance que vous m'avez témoignée m'a encouragé.
7. Un groupe de curieux que j'ai observés un à un occupaient toute la rue.
   Un groupe de curieux que j'ai observé occupait toute la rue.
8. Elle m'a donné les renseignements qu'elle m'avait dit.
   Il m'a répété les paroles qu'elle avait dites.
9. Passé le petit pont, tu tourneras à droite.
   Les vacances passées, ils reprirent le chemin du travail.
10. Ah! Les bons amis que nous avons été!

☆ RÈGLE

1 **Le participe passé des verbes intransitifs**
Certains verbes intransitifs comme **courir, coûter, dormir, mesurer, peser, régner, valoir, vivre,** etc., exigent, quand ils sont employés au sens propre, un complément circonstanciel (de distance, de prix, de temps, de mesure, de poids, etc.): ils répondent à la question *Comment?;* employés au sens figuré, ces verbes ont un complément direct: ils répondent à la question *Quoi?*

Ex.: *Les quatre-vingts kilos que j'ai pesé.*
Les raisons invoquées, je les ai bien pesées.

2 **Le participe passé des verbes impersonnels**
Le participe passé des verbes impersonnels est toujours invariable.

Ex.: *Les sommes qu'il a fallu.*
Les froids qu'il a fait.
Les deux jours qu'il a neigé.
Les tempêtes qu'il y a eu.

3 **Le participe passé suivi d'un infinitif**
Le participe passé suivi d'un infinitif ne s'accorde avec le complément d'objet qui le précède que si celui-ci est également sujet de l'infinitif.

Ex.: *Les **acteurs** que j'ai **vus** jouer étaient excellents.*
*Les pièces que j'ai **vu** jouer étaient excellentes.*

Vus s'accorde avec le complément d'objet *acteurs* car celui-ci est aussi le sujet du verbe *jouer*.
Vu ne s'accorde pas avec le complément d'objet *pièces* car celui-ci n'est pas le sujet du verbe *jouer*, mais son complément.

4 **Le participe passé précédé du pronom *en***
Le participe passé précédé du pronom *en* est généralement invariable. On considère *en* comme un pronom neutre partitif (*de cela*).

Ex.: *Des félicitations, il **en** a reçu!*
*Des cassettes, tu **en** as encore acheté?*

5 **Le participe passé précédé de *le (l')* signifiant *cela***
Le participe passé qui a pour complément d'objet direct le pronom neutre *le (l')* signifiant *cela* reste invariable. *Le* représente alors une idée ou une proposition.

Ex.: *Cette route est plus longue que je ne l'avais pensé.*
(l' = cela: que la route était longue)

6 **Le participe passé précédé d'un adverbe de quantité**
a) *Combien de..., tant de..., trop de..., que de..., beaucoup de...,* etc.

Le participe passé s'accorde avec le complément de l'adverbe lorsque ce dernier le précède.

Ex.: *Tant de **mérites** seront récompensés.*
*Que de **dangers** nous avons courus!*
*Combien de **contraventions** avez-vous eues?*
*(mais Combien avez-vous **eu** de contraventions?)*

b) *Peu de...*

Le participe passé s'accorde soit avec le complément de l'adverbe, soit avec *peu*, selon que l'on veut insister sur l'un ou sur l'autre.

Ex.: *Le peu d'efforts qu'il a fait lui a coûté cher* (insistance sur *peu*).

Le peu d'efforts qu'il a faits l'ont bien aidé (insistance sur *efforts*).

7 Le participe passé précédé d'un nom collectif

Le participe passé précédé d'un nom collectif s'accorde soit avec le collectif, soit avec son complément, selon que l'on veut insister sur l'un ou sur l'autre.

Ex.: *La meute de chiens que j'ai vue* (insistance sur *meute*).
La meute de chiens que j'ai vus (insistance sur *chiens*).

8 Les participes passés *dû, cru, pu, su, voulu, permis, pensé, prévu*, etc.

a) Le participe passé reste invariable quand le complément d'objet direct est un infinitif ou une proposition à sous-entendre après lui.

Ex.: *Il a obtenu les résultats qu'il avait cru*
(sous-entendu = qu'il obtiendrait).
Nous n'avons pas rencontré les difficultés que j'avais prévu (sous-entendu = que nous rencontrerions).

b) Le participe passé s'accorde avec le complément d'objet direct si celui-ci est placé avant selon la règle générale (à l'exception de *pu* qui reste toujours invariable).

Ex.: *Ses histoires, les as-tu crues?*
Cette séparation, l'avait-elle prévue?

9 Les participes passés *attendu, vu, supposé, compris, excepté, passé, ci-annexé, ci-joint, ci-inclus*, etc.

Ces participes passés sont invariables lorsqu'ils précèdent le nom. Ils jouent le rôle d'adverbe ou de préposition.

Ex.: *Excepté les enfants, tout le monde doit partir.*
Vous trouverez ci-joint les lettres demandées.

Ils varient lorsqu'ils suivent le nom. Ils jouent alors le rôle d'un adjectif épithète ou attribut.

Ex.: *Les enfants exceptés, tout le monde doit partir.*
Faites photocopier les lettres ci-jointes.

10 Les participes passés qui restent invariables

a) Le participe passé **été**

Ex.: *Les précurseurs qu'ils ont **été** dans ce domaine.*

b) Le participe passé **fait** suivi d'un infinitif

Ex.: *Les soldats que j'ai **fait** combattre.*

c) Le participe passé employé avec le sujet **on**

Ex.: *On est resté bons amis.*

POUR APPLIQUER LES RÈGLES

Accordez les participes passés dans les phrases suivantes.

1. Cette maison ne vaut plus les soixante mille dollars qu'elle a (*coûter*).
2. Ces raisons que vous avez (*donner*), les avez-vous bien (*peser*)?
3. Les huit heures qu'il a (*dormir*) ont (*réparer*) ses forces (*épuiser*).
4. Que de détours il a (*falloir*) pour arriver au but.
5. Le jardinier me présenta une corbeille de pommes qu'il avait (*cueillir*).
6. Une pile de livres que j'avais maladroitement (*dresser*) dans un coin s'écroula tout à coup.
7. Voyez cette pile de livres que j'ai (*lire*).
8. Ma passion pour la lecture est plus forte que vous ne l'aviez (*croire*).
9. Une colère sourde que j'avais (*sentir*) monter en moi obscurcissait mon jugement, mais je ne l'ai pas (*laisser*) éclater.
10. Autant de résolutions nous avons (*prendre*), autant de victoires nous avons (*remporter*).
11. Il n'a pas (*obtenir*) la place qu'il avait (*annoncer*) qu'il obtiendrait.
12. Le grand nombre d'erreurs que nous avons (*commettre*) ne doit pas nous décourager.
13. La pratique de ce sport n'est pas si difficile que nous l'avons (*estimer*).
14. C'est le peu d'efforts que vous avez (*faire*) qui a causé votre échec.
15. C'est le peu d'efforts que vous avez (*faire*) qui expliquent votre succès.
16. Tous ces beaux arbres que j'avais (*voir*) reverdir à chaque printemps, je les ai (*voir*) abattre.
17. Les habitudes qu'on a (*laisser*) s'enraciner sont bien difficiles à extirper.

18. J'admire les tableaux que ce marchand a (*faire*) exposer.
19. Nous ne sommes pas responsables des fautes qu'on nous a (*laisser*) commettre.
20. Voici la championne du jour: l'avez-vous (*voir*) courir autour de la piste?
21. Nous n'avons pas obtenu tous les avantages que nous avons (*souhaiter*).
22. (*Passé*) dix heures, nos bureaux sont (*fermer*).
23. Veuillez lire la note (*ci-joint*).
24. (*Ci-inclus*) la réponse à votre demande.
25. Les ennuis que ses bravades lui ont (*valoir*) lui ont (*faire*) oublier les avantages que son travail lui avait (*mériter*).
26. Les efforts que nos examens nous ont (*coûter*) peuvent-ils être (*perdre*)?
27. Toute cette journée nous l'avons (*passer*) dans l'anxiété.
28. Des nombreux reportages qu'il nous a (*falloir*) faire, aucun n'a (*avoir*) l'importance que nous y avions (*attacher*).
29. J'ai suivi la méthode que j'ai (*croire*) être la meilleure.
30. J'ai vu trois orignaux et j'en ai (*tuer*) deux.

DÛ . . . DU

 OBSERVEZ BIEN LES PHRASES SUIVANTES.

Colonne A
1. J'ai **dû** l'oublier.
2. Elle aurait **dû** être là.
3. Vous avez **dû** vous tromper.
4. Il m'a **dû** beaucoup d'argent.

Colonne B
1. Il a pris **du** temps.
2. C'est la fin **du** spectacle.
3. Prends une part **du** dessert.
4. J'ai vu le fils **du** voisin.

a) **Que remarquez-vous sur l'orthographe des mots en caractères gras?**
b) **La prononciation vous aide-t-elle à les écrire correctement?**
c) **Quel est le sens de *dû* dans la colonne A?**
   Quelle sorte de mot est-ce?
d) **Quel est le sens de *du* dans la colonne B?**
   Quelle sorte de mot est-ce?

☆ RÈGLE

Dû prend un accent circonflexe quand il s'agit du verbe **devoir**.
Du ne prend pas d'accent quand il s'agit de l'article.
   Ex.: *Elle aurait **dû** être là avant la fin **du** spectacle.*

POUR APPLIQUER LA RÈGLE

Écrivez *dû* ou *du*.
a) Voici . . . papier.
b) J'aurais . . . penser à cela plus tôt.
c) Cet argent m'est . . .
d) C'est une élève . . . collège.
e) Il avait . . . s'absenter.
f) Elle a aimé la fin . . . récit.
g) Ce vent vient . . . nord.
h) Elle s'est servi . . . café.
i) J'aime le début . . . printemps.
j) Vous auriez . . . répondre plus longuement.

LE VERBE *POUVOIR*

⬛ OBSERVEZ BIEN LES VERBES SUIVANTS.

Indicatif présent	imparfait	passé simple	futur simple	Conditionnel présent
je peux/je puis	je pouvais	je pus	je pourrai	je pourrais
ils peuvent	ils pouvaient	ils purent	ils pourront	ils pourraient

☆ RÈGLE

Le verbe **pouvoir** prend deux **r** au futur simple et au conditionnel présent. Toutefois, on ne prononce qu'un seul **r**.

Ex.: *Je pourrais, ils pourront, nous pourrions.*

Au type interrogatif, à la première personne du présent de l'indicatif, **pouvoir** s'écrit **puis-je**.

POUR APPLIQUER LA RÈGLE

a) Donnez le mode et le temps du verbe *pouvoir*.

tu pourras   tu pouvais   tu as pu   que tu puisses
tu pourrais   tu peux   tu pus   tu avais pu

b) Conjuguez le verbe *pouvoir* au mode et au temps indiqués.
1. Nathalie et Bao (*pouvoir*, indic. présent) faire du ski de fond.
2. J'irais si je (*pouvoir*, imparfait)!
3. Ton frère et toi (*pouvoir*, présent) venir ce soir.
4. (*Pouvoir*, cond. présent)-tu m'appeler demain?
5. Mon père et ma mère (*pouvoir*, futur simple) aller au cinéma dimanche.

c) Donnez le mode, le temps et la personne du verbe *pouvoir*.
1. Puis-je passer un coup de fil?
2. Elles purent voyager pendant un mois.
3. Il se pourrait que vous soyez remercié de vos services.
4. Pourras-tu acheter à temps son cadeau d'anniversaire?

d) Complétez les phrases suivantes en utilisant le verbe *pouvoir* au présent de l'indicatif.
1. Carla et Pierre . . .
2. Sylvain . . .
3. Toi et moi . . .
4. Je . . .
5. Vous . . .

LE VERBE *FAIRE*

 OBSERVEZ BIEN LES VERBES SUIVANTS.

Indicatif présent	futur	Conditionnel présent
nous faisons	nous ferons	nous ferions
vous faites	vous ferez	vous feriez

☆ RÈGLE

Au futur simple et au conditionnel présent seulement, le verbe **faire** change le **ai** du radical en **e**.
Ex.: *Je fais, nous faisons, je ferai, nous ferions.*

POUR APPLIQUER LA RÈGLE

a) Conjuguez le verbe *faire* aux temps demandés.
1. Je (*faire*, futur simple) mon possible.
2. Caroline (*faire*, imparfait) tout son travail.
3. Les musiciens (*faire*, cond. présent) une fête s'ils le pouvaient.
4. Nicolas (*faire*, indic. présent) un dessin.
5. (*Faire*, indic. présent)-vous des projets de vacances?
6. Tu (*faire*, cond. présent) des heureux en annonçant cette nouvelle.
7. Ces légumes (*faire*, futur simple) une belle salade.
8. Vous (*faire*, imparfait) une demande d'emploi.
9. Que (*faire*, futur simple)-tu plus tard?
10. Les enfants (*faire*, indic. présent) souvent du ski.

b) Composez cinq phrases contenant le verbe *faire* aux temps suivants.
1. conditionnel présent
2. imparfait
3. futur simple
4. conditionnel présent
5. indicatif présent

LE SUBJONCTIF ET L'IMPÉRATIF D'*ÊTRE* ET D'*AVOIR* LE SUBJONCTIF DE *VOULOIR* ET DE *POUVOIR*

 OBSERVEZ BIEN LES VERBES SUIVANTS.

ÊTRE		AVOIR	
Subjonctif présent	**Impératif présent**	**Subjonctif présent**	**Impératif présent**
que je sois		que j'aie	
que tu sois	sois	que tu aies	aie
qu'il/elle soit		qu'il/elle ait	
que nous soyons	soyons	que nous ayons	ayons
que vous soyez	soyez	que vous ayez	ayez
qu'ils/elles soient		qu'ils/elles aient	

VOULOIR	POUVOIR
Subjonctif présent	**Subjonctif présent**
que je veuille	que je puisse
que tu veuilles	que tu puisses
qu'il/elle veuille	qu'il/elle puisse
que nous voulions	que nous puissions
que vous vouliez	que vous puissiez
qu'ils/elles veuillent	qu'ils/elles puissent

☆ RÈGLE

Le subjonctif et l'impératif d'**être** et d'**avoir** se ressemblent (sauf le **s** de la 2ᵉ personne du subjonctif d'**avoir**).

Ex.: *Que tu sois/sois; que tu aies/aie.*
Que nous soyons/soyons; que nous ayons/ayons.
Que vous soyez/soyez; que vous ayez/ayez.

Vouloir et **pouvoir** n'ont pas d'impératif.

POUR APPLIQUER LA RÈGLE

a) Mettez les verbes qui sont entre parenthèses au subjonctif présent.

1. Il faut que Nadia (*avoir*) une bonne note et que son travail (*être*) bien fait.
   Personne ne doute qu'elle (*vouloir*) le faire et qu'elle (*pouvoir*) l'exécuter correctement.

2. Nous craignons que vous ne (*vouloir*) pas que ces étudiants (*être*) dans le même groupe. Nous ne doutons pas que vous (*avoir*) de bonnes raisons de refuser, mais nous aimerions quand même qu'ils (*pouvoir*) travailler ensemble.

3. Que j'(*avoir*) raison ou tort, cela importe peu. L'important est que tu (*vouloir*) m'aider et que tu (*pouvoir*) faire quelque chose.

b) Donnez des conseils ou encouragez quelqu'un en mettant les verbes suivants à l'impératif ou au subjonctif précédé de *il faut que*.

1. être à l'heure
2. avoir le sourire
3. être patient(e)
4. avoir du courage

LE FUTUR ET LE CONDITIONNEL DE *MOURIR* ET DE *COURIR*

 OBSERVEZ BIEN LES VERBES SUIVANTS.

MOURIR		COURIR	
Futur simple	**Conditionnel présent**	**Futur simple**	**Conditionnel présent**
je mourrai	je mourrais	je courrai	je courrais
tu mourras	tu mourrais	tu courras	tu courrais
il mourra	il mourrait	il courra	il courrait
nous mourrons	nous mourrions	nous courrons	nous courrions
vous mourrez	vous mourriez	vous courrez	vous courriez
ils mourront	ils mourraient	ils courront	ils courraient

☆ RÈGLE

Mourir et **courir** prennent deux **r** au futur et au conditionnel.

Ex.: *Il mourait (imparfait) / il mourrait (conditionnel).*
Vous mourez (présent) / vous mourrez (futur).
Je courais (imparfait) / je courrais (conditionnel).
Nous courons (présent) / nous courrons (futur).

POUR APPLIQUER LA RÈGLE

Mettez les verbes qui sont en italique au futur simple et au conditionnel présent.

1. Eléna *a couru* trois kilomètres malgré le froid.
2. Grâce à leur conditionnement physique, ces gens *courent* facilement de longues distances.
3. Ces animaux *meurent* s'ils ne sont pas suffisamment soignés.
4. Vous *mourez* si ce microbe se propage dans votre organisme.
5. Je sais que je *cours* un risque certain mais j'en ai déjà pris d'autres et je ne *suis pas mort* .
6. Il *a couru* après la gloire toute sa vie et il *est mort* sans l'avoir atteinte.

L'ORTHOGRAPHE DES VERBES COMME *SEMER, LEVER*, etc.

OBSERVEZ BIEN LES VERBES SUIVANTS.

SEMER
Je sème
Je sèmerai
Je semais
Vous semez

LEVER
Je lève
Je lèverai
Je levais
Vous levez

PESER
Je pèse
Je pèserai
Je pesais
Vous pesez

⭐ RÈGLE

Les verbes qui ont un **e** muet à l'avant-dernière syllabe de l'infinitif changent cet **e** muet en **e** ouvert (avec accent grave) devant toute syllabe muette.

Ex.: *Semer, je sème, je sèmerai.*
Lever, je lève, je lèverai.

POUR APPLIQUER LA RÈGLE

a) Conjuguez correctement, au temps demandé, les verbes des phrases suivantes.

1. Ces dames (*relever*, futur simple) les débats de l'assemblée par l'à-propos de leurs interventions.
2. Bien des difficultés (*parsemer*, indicatif présent) la route de chacun de nous.
3. Ce politicien rusé (*soulever*, conditionnel présent) même une foule adverse par ses élans oratoires!
4. «Il faut que vous (*enlever*, subjonctif présent) vos pieds du bureau quand je vous parle!» disait l'institutrice à deux élèves mal élevés.
5. Mon fils Samorn (*soulever*, indicatif présent) bien des objections quand je lui demande de ne pas rentrer trop tard.

b) Faites une courte phrase avec chacun des verbes suivants.

1. Surmener
2. Semer
3. Peser
4. Promener
5. Prélever
6. Achever
7. Lever
8. Emmener
9. Élever
10. Dépecer

L'ORTHOGRAPHE DES VERBES

VAINCRE, S'ASSEOIR, BOUILLIR, COUDRE, ROMPRE, ACQUÉRIR, MOUVOIR

OBSERVEZ BIEN LES VERBES SUIVANTS.

VAINCRE

INDICATIF
présent

je	vaincs
tu	vaincs
il	vainc
nous	vainquons
vous	vainquez
ils	vainquent

imparfait

je	vainquais
tu	vainquais
il	vainquait
nous	vainquions
vous	vainquiez
ils	vainquaient

passé simple

je	vainquis
tu	vainquis
il	vainquit
nous	vainquîmes
vous	vainquîtes
ils	vainquirent

futur simple

je	vaincrai
tu	vaincras
il	vaincra
nous	vaincrons
vous	vaincrez
ils	vaincront

SUBJONCTIF
présent

que je	vainque
que tu	vainques
qu'il	vainque
que nous	vainquions
que vous	vainquiez
qu'ils	vainquent

IMPÉRATIF
présent

vaincs
vainquons
vainquez

PARTICIPE
passé

vaincu(e)

S'ASSEOIR

INDICATIF
présent

je m'assois ou m'assieds
tu t'assois ou t'assieds
il s'assoit ou s'assied
nous nous assoyons ou
   nous asseyons
vous vous assoyez ou
   vous asseyez

ils s'assoient ou s'asseyent

imparfait

je m'assoyais ou m'asseyais
tu t'assoyais ou t'asseyais
il s'assoyait ou s'asseyait
nous nous assoyions ou
   nous asseyions
vous vous assoyiez ou
   vous asseyiez
ils s'assoyaient ou s'asseyaient

passé simple

je m'assis
tu t'assis
il s'assit
nous nous assîmes
vous vous assîtes
ils s'assirent

futur simple

je m'assoirai ou m'assiérai
tu t'assoiras ou t'assiéras
il s'assoira ou s'assiéra
nous nous assoirons ou
   nous assiérons
vous vous assoirez ou
   vous assiérez
ils s'assoiront ou s'assiéront

SUBJONCTIF
présent

que je m'assoie ou m'asseye
que tu t'assoies ou t'asseyes
qu'il s'assoie ou s'asseye
que nous nous assoyions ou
   nous asseyions
que vous vous assoyiez ou
   vous asseyiez
qu'ils s'assoient ou s'asseyent

IMPÉRATIF
présent

assois-toi ou assieds-toi
assoyons-nous ou asseyons-nous
assoyez-vous ou asseyez-vous

PARTICIPE
passé

assis(e)

BOUILLIR

INDICATIF
présent

je	bous
tu	bous
il	bout
nous	bouillons
vous	bouillez
ils	bouillent

imparfait

je	bouillais
tu	bouillais
il	bouillait
nous	bouillions
vous	bouilliez
ils	bouillaient

passé simple

je	bouillis
tu	bouillis
il	bouillit
nous	bouillîmes
vous	bouillîtes
ils	bouillirent

futur simple

je	boullirai
tu	bouilliras
il	bouillira
nous	bouillirons
vous	bouillirez
ils	bouilliront

SUBJONCTIF
présent

que je	bouille
que tu	bouilles
qu'il	bouille
que nous	bouillions
que vous	bouilliez
qu'ils	bouillent

IMPÉRATIF
présent

bous
bouillons
bouillez

PARTICIPE
passé

bouilli(e)

COUDRE

INDICATIF
présent

je	couds
tu	couds
il	coud
nous	cousons
vous	cousez
ils	cousent

imparfait

je	cousais
tu	cousais
il	cousait
nous	cousions
vous	cousiez
ils	cousaient

passé simple

je	cousis
tu	cousis
il	cousit
nous	cousîmes
vous	cousîtes
ils	cousirent

futur simple

je	coudrai
tu	coudras
il	coudra
nous	coudrons
vous	coudrez
ils	coudront

SUBJONCTIF
présent

que je	couse
que tu	couses
qu'il	couse
que nous	cousions
que vous	cousiez
qu'ils	cousent

IMPÉRATIF
présent

couds
cousons
cousez

PARTICIPE
passé

cousu(e)

ROMPRE

INDICATIF
présent

je	romps
tu	romps
il	rompt
nous	rompons
vous	rompez
ils	rompent

imparfait

je	rompais
tu	rompais
il	rompait
nous	rompions
vous	rompiez
ils	rompaient

passé simple

je	rompis
tu	rompis
il	rompit
nous	rompîmes
vous	rompîtes
ils	rompirent

futur simple

je	romprai
tu	rompras
il	rompra
nous	romprons
vous	romprez
ils	rompront

SUBJONCTIF
présent

que je	rompe
que tu	rompes
qu'il	rompe
que nous	rompions
que vous	rompiez
qu'ils	rompent

IMPÉRATIF
présent

romps
rompons
rompez

PARTICIPE
passé

rompu(e)

ACQUÉRIR

INDICATIF
présent

j'	acquiers
tu	acquiers
il	acquiert
nous	acquérons
vous	acquérez
ils	acquièrent

imparfait

j'	acquérais
tu	acquérais
il	acquérait
nous	acquérions
vous	acquériez
ils	acquéraient

passé simple

j'	acquis
tu	acquis
il	acquit
nous	acquîmes
vous	acquîtes
ils	acquirent

futur simple

j'	acquerrai
tu	acquerras
il	acquerra
nous	acquerrons
vous	acquerrez
ils	acquerront

SUBJONCTIF
présent

que j'	acquière
que tu	acquières
qu'il	acquière
que nous	acquérions
que vous	acquériez
qu'ils	acquièrent

IMPÉRATIF
présent

acquiers
acquérons
acquérez

PARTICIPE
passé

acquis(e)

MOUVOIR

INDICATIF
présent

je	meus
tu	meus
il	meut
nous	mouvons
vous	mouvez
ils	meuvent

imparfait

je	mouvais
tu	mouvais
il	mouvait
nous	mouvions
vous	mouviez
ils	mouvaient

passé simple

je	mus
tu	mus
il	mut
nous	mûmes
vous	mûtes
ils	murent

futur simple

je	mouvrai
tu	mouvras
il	mouvra
nous	mouvrons
vous	mouvrez
ils	mouvront

SUBJONCTIF
présent

que je	meuve
que tu	meuves
qu'il	meuve
que nous	mouvions
que vous	mouviez
qu'ils	meuvent

IMPÉRATIF
présent

meus
mouvons
mouvez

PARTICIPE
passé

mû, mue

☆ RÈGLE

Certains verbes sont difficiles à conjuguer car leur radical se présente sous plusieurs formes.

Ex.: vaincre *(vainc/vainqu);* **s'asseoir** *(assoi, assoy/assie, assey);* **bouillir** *(bou/bouill);* **coudre** *(coud/cous);* **acquérir** *(acquier/ acquér/acquer/acquièr/acqu);*
mouvoir *(meu/mouv/meuv/m).*

Vaincre

Devant une voyelle (sauf **u**), le **c** du radical *(vainc)* se change en **qu** *(vainqu).*

Ex.: *je vain**c**s, tu vain**c**ras, nous vain**qu**ons, tu vain**qu**is, vaincu.*

S'asseoir

Sauf au passé simple, *s'asseoir* se conjugue avec l'un ou l'autre de ses deux radicaux: **assoi** *(assoy devant une voyelle)* ou **assie** *(assey devant une voyelle).*

Ex.: *je m'**assoi**s ou je m'**assie**ds.*
*nous nous **assoy**ons ou nous nous **assey**ons.*

Bouillir

Le radical **bou** se rencontre aux trois premières personnes de l'indicatif présent et à la 2e personne de l'impératif présent. Partout ailleurs on trouve **bouill**.

Ex.: *je **bou**s, tu **bou**s, il **bou**t, nous **bouill**ons, je **bouill**ais, il **bouill**ira.*

Coudre

Devant une voyelle, le **d** du radical *(coud)* se change en **s** *(cous).*

Ex.: *tu **coud**ras, **coud**s, je **cous**ais, il **cous**it.*

Rompre

L'irrégularité de *rompre* qui se conjugue comme *rendre* avec un seul radical *(romp)* est le **t** qui suit le **p** à la 3e personne du singulier de l'indicatif présent.

Ex.: *je rends, tu rends, il rend, je romps, tu romps, il romp**t**.*

Acquérir

Devant *a, o, i*, le radical **acquier** s'écrit **acquér** sauf au passé simple et au participe passé où il s'écrit **acqu**.

Ex.: *j'**acquier**s, j'**acquér**ais, nous **acquér**ons, vous **acquér**iez, j'**acqu**is.*

Devant *e*, on trouve **acquér** et **acquièr**.

Ex.: *vous **acquér**ez, ils **acquièr**ent.*

Devant le *r* du futur et du conditionnel, le radical s'écrit **acquer**.

Ex.: *j'**acquer**rai, il **acquer**ra.*

Mouvoir

À l'imparfait et au futur, aux 1re et 2e personnes du pluriel de l'indicatif, du subjonctif et de l'impératif présent, le radical **meu/meuv** se change en **mouv**.

Ex.: *il meut, nous mouvons, vous mouvez, je mouvais, il mouvra.*

On trouve **meu** devant une consonne, **meuv** devant une voyelle.

Ex.: *je meus, tu meus, ils meuvent.*

Au passé simple et au participe passé, le radical est **m**.

Ex.: *je mus, il mut, mû.*

Le participe passé, lorsqu'il se rapporte à un nom féminin, perd l'accent circonflexe sur le **u**.

Ex.: *un mécanisme mû par un ressort, une machine mue par l'électricité.*

POUR APPLIQUER LES RÈGLES

a) **Employez chacun des verbes suivants dans deux phrases différentes. Faites varier les temps et les personnes:** *vaincre, s'asseoir, bouillir, coudre, rompre, acquérir, mouvoir.*

b) **Vérifiez si les verbes sont correctement orthographiés dans les phrases que vous venez de rédiger. Combien de verbes maîtrisez-vous? Combien vous causent encore des difficultés?**

c) **Mettez le verbe au mode et au temps demandés dans les phrases suivantes.**

1. Pascal et Marie (*coudre*, indicatif présent) de petites robes pour leurs poupées.

2. François-Pierre et Léo-Marc (*rompre*, indicatif passé simple) le pacte conclu avec leur mère. Ils (*bouillir*, indicatif imparfait) de colère, disaient-ils, mais leur mère (*acquérir*, indicatif plus-que-parfait) la certitude que tout ça, c'était calculé.

3. Anne-Marie et Cordelia (*acquérir*, indicatif présent) une propriété.

4. Nikos et Nana (*s'asseoir*, indicatif futur simple) au parterre lors de ce spectacle de variétés.

5. Il faut que Jean-Nicolas (*vaincre*, subjonctif présent) ses adversaires lors de cette compétition de judo s'il veut conserver sa renommée.

6. Quand Christine (*bouillir*, indicatif présent) de rage, elle (*s'asseoir*, indicatif présent) pour se calmer.

7. Kim (*mouvoir*, conditionnel présent) mer et monde pour obtenir satisfaction.

8. (*Rompre*, impératif présent) les rangs, dit le sergent aux soldats alignés.
9. L'eau (*bouillir*, indicatif présent) à 100 degrés Celsius.
10. Il semble que certains élèves (*acquérir*, indicatif futur simple) de la maturité le jour où ils (*s'asseoir*, indicatif futur simple) et (*vaincre*, indicatif futur simple) leur hantise du travail bien fait.

LES VERBES QUI SE TERMINENT PAR -*CER*

OBSERVEZ BIEN LES VERBES SUIVANTS.

je lance	tu plaçais	elle aperçoit	je reçus
nous apercevons	ils commençaient	ils reçoivent	elles déçurent
vous effacez	il se balança	tu déçois	ils ont perçu

☆ RÈGLE

Devant **a**, **o** et **u** la lettre **c** prend une cédille.
Ainsi, la lettre **c** se prononce **se**.
Ex.: *tu plaçais, elle aperçoit, je reçus.*

POUR APPLIQUER LA RÈGLE

a) Conjuguez les verbes suivants au présent et à l'imparfait de l'indicatif.

lancer   avancer   exercer

b) Conjuguez les verbes suivants au présent de l'indicatif.
1. Suzanne (*tracer*) un trait.
2. Nous (*s'exercer*) pour notre sketch.
3. Elle (*lacer*) ses souliers.
4. Tu (*s'efforcer*) de bien travailler.
5. Vous (*bercer*) l'enfant.

c) Conjuguez les verbes suivants à l'imparfait de l'indicatif.
1. Tu (*lacer*)
2. Elle (*déplacer*)
3. Vous (*espacer*)
4. Il (*pincer*)
5. Elles (*prononcer*)
6. Nous (*rincer*)
7. Il (*annoncer*)
8. Vous (*balancer*)
9. Je (*commencer*)
10. Nous (*influencer*)

LES VERBES QUI SE TERMINENT PAR -GER

OBSERVEZ BIEN LES VERBES SUIVANTS.

nous mangions   je mangeais   nous mangeons
vous songiez   elle songea   nous songeons
nous rangions   ils rangeaient   nous rangeons

☆ RÈGLE

Les verbes qui se terminent par **-ger** prennent un **e** après le **g** devant **a** et **o**.

Ex.: *je mangeais, nous mangeons.*

Ainsi le **g** se prononce **je**.

POUR APPLIQUER LA RÈGLE

a) **Conjuguez les verbes suivants au présent et à l'imparfait de l'indicatif.**

mélanger   déménager   protéger

b) **Conjuguez les verbes suivants au présent et à l'imparfait de l'indicatif.**

présent	**imparfait**
nous *interroger*	nous *interroger*
nous *héberger*	nous *héberger*
nous *loger*	nous *loger*
nous *diriger*	nous *diriger*
nous *partager*	nous *partager*

c) **Conjuguez les verbes suivants au présent de l'indicatif.**

1. Nous (*longer*) le bois.
2. Vous (*échanger*) des disques.
3. Les élèves (*songer*) aux vacances.
4. Nous (*partager*) le travail.
5. Il (*se diriger*) vers la porte.

d) **Conjuguez les verbes de l'exercice précédent au passé simple et à l'imparfait.**

LES VERBES QUI SE TERMINENT PAR *-ELER* et PAR *-ETER*

OBSERVEZ BIEN LES VERBES SUIVANTS.

INFINITIF	INDICATIF présent	imparfait	futur	PARTICIPE passé
Jeter	je jette	je jetais	je jetterai	jeté
	nous jetons	nous jetions	nous jetterons	
Appeler	j'appelle	j'appelais	j'appellerai	appelé
	nous appelons	nous appelions	nous appellerons	

☆ RÈGLE

Les verbes qui se terminent par **-eler** et par **-eter** redoublent la consonne **l** ou **t** devant un **e** muet.

Ex.: *Appeler* → *j'appelle, j'appellerai, nous appellerons.*
Jeter → *je jette, je jetterai, nous jetterons.*

Il y a des exceptions à cette règle. Ce sont les verbes qui changent l'**e** en **è** devant une syllabe muette au lieu de redoubler la consonne.

Ex.: *j'achète*   au lieu de   *je jette*
     j'achèterai   *je jetterai*

     je modèle   au lieu de   *j'appelle*
     je modèlerai   *j'appellerai*

Ces verbes, peu nombreux, qui font exception sont:
   a) *acheter - corseter - crocheter - fureter - haleter;*
   b) *ciseler - congeler - déceler - dégeler - démanteler - écarteler - geler - marteler - modeler - peler - receler - regeler.*

POUR APPLIQUER LA RÈGLE

a) **Voici une liste de verbes qui se terminent par -eter ou par -eler. Conjuguez-les à l'indicatif présent, imparfait et futur, aux 1re et 3e personnes du singulier et du pluriel. Vérifiez ensuite si vous avez respecté et compris la règle des terminaisons de ces verbes particuliers.**

1. Des verbes en **-eler**

   appeler, peler, rappeler, épeler, ficeler, harceler, renouveler, chanceler.

2. Des verbes en **-eter**

   jeter, rejeter, pelleter, projeter, feuilleter, décacheter, épousseter, étiqueter.

b) **Mettez les verbes suivants au temps qui convient.**

1. Pâquerette, en chaise roulante, (*projeter*) de pelleter elle-même le devant de sa résidence cet hiver.

2. Jim, le Zaïrois de la rue Saint-Denis, (*décacheter*) en vitesse la lettre qu'il vient de recevoir de son pays natal.

3. Peter, un jeune élève anglophone d'Outremont, (*épeler*) très bien les mots du lexique français appris à l'école.

4. À Hull, le dimanche après-midi, on (*fureter*) souvent du côté ontarien.

5. Les Gaspésiens (*congeler*) le poisson qu'ils expédient dans les grands centres québécois.

6. À Sept-Îles, Marie la blonde est très connue: elle (*briqueter*) des maisons depuis deux ans déjà.

7. Je vous (*rappeler*) quand j'aurai besoin à nouveau de vous, cher monsieur!

8. La police (*demanteler*) parfois certains réseaux de vol à la tire.

9. Nos grands-mères (*peler*) toujours les fruits avant de les mettre en conserve.

10. Les propriétaires de calèches de la vieille capitale (*atteler*) d'abord leurs chevaux avant d'interpeller les touristes.

LES VERBES QUI SE TERMINENT PAR -*YER*

OBSERVEZ BIEN LES VERBES SUIVANTS.

INFINITIF	présent	imparfait	futur simple
		INDICATIF	
Payer	je paie/paye	je payais	je paierai/payerai
	tu paies/payes	tu payais	tu paieras/payeras
	il paie/paye	il payait	il paiera/payera
	nous payons	nous payions	nous paierons/payerons
	vous payez	vous payiez	vous paierez/payerez
	ils paient/payent	ils payaient	ils paieront/payeront
Employer	j'emploie	j'employais	j'emploierai
	tu emploies	tu employais	tu emploieras
	il emploie	il employait	il emploiera
	nous employons	nous employions	nous emploierons
	vous employez	vous employiez	vous emploierez
	ils emploient	ils employaient	ils emploieront

 RÈGLE

Les verbes qui se terminent par **-ayer** peuvent :
- a) conserver l'**y** dans toute la conjugaison ;
- b) changer l'**y** du radical en **i** devant un **e** muet
  (c.-à-d. devant les terminaisons *e, es, ent, erai, erais,* etc.).
  Ex.: *Je paie/paye, tu paieras/payeras, ils paieront/payeront.*

Les verbes qui se terminent par **-oyer** et par **-uyer** changent l'**y** du radical en **i** devant un **e** muet (c.-à-d. devant les terminaisons *e, es, ent, erai, erais,* etc.).
  Ex.: *Employer/j'emploie, tu emploieras, ils emploieront.*

Remarquez la présence de l'**i** après l'**y** aux deux premières personnes du pluriel à l'imparfait de l'indicatif et au présent du subjonctif.
  Ex.: *Nous payions, vous employiez.*

POUR APPLIQUER LA RÈGLE

Justifiez la terminaison des verbes dans les phrases suivantes.

1. Les épaules du vieillard ploient sous le fardeau.
2. Bien des jeunes téméraires se noieront cet été.
3. Il faut qu'on appuie nos dirigeants quand ils proposent des lois sociales d'avant-garde.
4. Jeanne a déployé bien des efforts pour obtenir 90 % en mathématique.
5. Marie-Claude envoie souvent des lettres amoureuses à son cousin Louis.
6. Ils essayent de dormir malgré le bruit et l'inconfort des lieux.
7. Elles essaient de chanter même si elles n'en ont pas très envie.
8. On raiera ton nom de la liste si tu ne te présentes pas.
9. De votre temps, vous ne tutoyiez pas vos parents, n'est-ce pas?
10. Il faut que nous nettoyions le chalet avant le début de l'hiver.

LES VERBES QUI SE TERMINENT PAR *-AÎTRE* ET PAR -OÎTRE

☐ OBSERVEZ BIEN LES VERBES SUIVANTS.

PARAÎTRE	**CROÎTRE**	**ACCROÎTRE**
je parais	je crois	j'accrois
il paraît	il croît	j'accroîtrai
il paraîtra	j'ai crû	nous accroissons

☆ RÈGLE

Les verbes qui se terminent par **-aître** et par **-oître** prennent un accent circonflexe sur le **i** du radical quand il est suivi d'un **t** (survivance d'un **s** ancien disparu).

Ex.: Je parais/il paraît, j'accrois/il accroît.

Croître prend un accent circonflexe sur le **i** et sur le **u** chaque fois qu'il y a danger de confusion avec le verbe *croire*.

Ex.: *croire* → *je crois, je crus, ils crurent, cru, crue.*
croître → *je croîs, je crûs, ils crûrent, crû, crue.*

Remarquez que **crû** (participe passé de **croître**) ne prend d'accent circonflexe qu'au masculin singulier.

Cette règle cependant ne s'applique pas pour les composés de **croître** (**accroître, décroître, recroître**) qui suivent la règle normale.

Ex.: *Je croîs, j'accrois, je décrois.*
Je crûs, j'accrus, je décrus.
Il croît, il accroît, il décroît.

On écrit **recrû** (part. passé de *recroître*) pour le distinguer de **recru** (*Je suis recru* de fatigue). Ne pas confondre également **cru** qui est le contraire de *cuit* et **crû** (participe passé du verbe *croître*). Notez l'expression *de grands crus* (vins excellents).

POUR APPLIQUER LA RÈGLE

Mettez un accent circonflexe sur le *i* ou le *u* des verbes qui se terminent par *-aître* et par *-oître* quand cela est nécessaire.

1. Tu connais, il parait.
2. Ils apparaitront, je disparaitrais, vous disparaissez.
3. Il parait que la qualité de l'environnement disparait avec le progrès.
4. Elle accroitrait rapidement ses revenus, si elle investissait dans cette compagnie.
5. Qui aurait cru que la rivière eût cru autant en deux heures?
6. Il sait et il le reconnait qu'il me déplait.
7. Elle est rentrée à la maison recrue de fatigue.
8. Le nombre d'intoxications par les médicaments s'est accru beaucoup et s'accroitra de plus en plus.
9. Il y a dix ans, une seule maison apparaissait au flanc de cette colline. Aujourd'hui, elles naissent à un rythme effarant. Bientôt l'endroit paraitra couvert de maisons.
10. Nos enfants connaitront un avenir sombre si nous ne travaillons pas pour la paix.
11. Les boursouflures de cette brûlure vont-elles disparaitre?
12. En croissant en âge, tu croitras en sagesse.

LES VERBES QUI SE TERMINENT PAR -*INDRE* ET PAR -*SOUDRE*

OBSERVEZ BIEN LES VERBES SUIVANTS.

-aindre	-eindre	-oindre	-soudre
je plains	je peins	je joins	j' absous
je crains	j' atteins	je rejoins	je résous
je contrains	je restreins	j' adjoins	je dissous
il plaint	il peint	elle joint	elle absout
il craint	il atteint	elle rejoint	elle résout
il contraint	il restreint	elle adjoint	elle dissout
tu plaindras	tu peindras	tu joindras	tu absoudras
tu craindras	tu atteindras	tu rejoindras	tu résoudras
tu contraindras	tu restreindras	tu adjoindras	tu dissoudras

☆ RÈGLE

Les verbes qui se terminent par **-indre** et par **-soudre** ne gardent le **d** du radical qu'au futur et au conditionnel.

   Ex.: *Peindre* → *je peins, il peint, il peindra.*
   Résoudre → *je résous, il résout, il résoudra.*

À part **contraindre, plaindre** et **craindre,** tous ces verbes s'écrivent **-eindre.**

   Ex.: *Peindre, atteindre, feindre, teindre, éteindre.*

Les autres verbes en **-oudre,** comme **coudre, moudre,** etc., conservent le **d** du radical.

   Ex.: *Je couds, tu couds, il coud, tu mouds,* etc.

Il en est ainsi des verbes en (**-a, -e, -o**)**ndre.**

   Ex.: *Il répand, il prend, tu fends, il répond,* etc.

Si vous avez de la difficulté à vous y retrouver avec ces verbes, retenez ceci: seuls les verbes qui se terminent par **-indre** et par **-soudre** perdent le **d** (sauf au futur et au conditionnel); tous les autres verbes qui se terminent par **-dre** le gardent.

POUR APPLIQUER LA RÈGLE

Accordez à l'indicatif présent les verbes des phrases suivantes.

1. S'il (*peindre*) ce paysage, il (*atteindre*) son but.
2. Je (*craindre*) qu'elle ne conclue: «Ce problème ne se (*résoudre*) pas facilement.»
3. Je (*plaindre*) cet individu qui n'arrête pas de fumer.
4. Qui trop embrasse mal (*étreindre*).
5. Si l'on n'(*enfreindre*) pas la loi, on (*restreindre*) les accidents.
6. Il (*craindre*) le danger avec raison.
7. Le foyer d'incendie s'est (*éteindre*) rapidement.
8. Le coureur attardé (*rejoindre*) maintenant les autres.
9. Il (*moudre*) son café lui-même.
10. Jeanne (*coudre*) de temps en temps.
11. Elle se (*résoudre*) à sa nouvelle vie, mais s'en (*plaindre*).
12. Le sucre se (*dissoudre*) facilement dans ce jus.
13. [Mettre les verbes à l'impératif] (*Descendre*) l'escalier, (*éteindre*) la lampe, (*rendre*)-moi ce service.
14. Quand il se (*tordre*) le pied, il (*geindre*) beaucoup et (*fondre*) en larmes.

LE NOM

le masculin et le féminin des noms

le pluriel des noms

le pluriel des noms qui se terminent par *-ou*

le pluriel des noms qui se terminent par *-eu*

le pluriel des noms qui se terminent par *-au*

le pluriel des noms qui se terminent par *-al*

le pluriel des noms qui se terminent par *-ail*

le pluriel des noms (récapitulation)

les noms qui se terminent par *-é* et par *-ée*

le complément du nom

le mot en apposition

le pluriel des noms composés

le pluriel des noms propres

LE MASCULIN ET LE FÉMININ DES NOMS

OBSERVEZ BIEN LES MOTS SUIVANTS.

un arbre / une fleur
le soleil / la lune

un ami / une amie
un touriste / une touriste

★ RÈGLE

Les noms qui représentent des choses et des objets non animés ont un genre fixe et souvent arbitraire.

Ex.: *un arbre / une fleur.*

Les noms qui désignent des êtres animés peuvent être masculins ou féminins.
Pour former le féminin, on ajoute généralement un **e** à la finale du nom masculin.

Ex.: *un ami / une amie.*

Les mots qui se terminent par **e** au masculin ne changent pas au féminin. Les déterminants ou les adjectifs indiquent alors s'il s'agit d'un nom masculin ou féminin.

Ex.: *un touriste / une touriste.*

POUR APPLIQUER LA RÈGLE

a) Indiquez quel est le genre des noms suivants en vous aidant de votre dictionnaire.

incendie	ascenseur	escalier	édifice
air	autobus	armoire	été
avion	anniversaire	orage	affaire

b) Complétez les phrases suivantes en écrivant *un* ou *une* à l'endroit voulu.

1. C'est . . . artiste internationale.
2. C'est . . . pianiste inconnu.
3. C'est . . . cycliste chevronnée.
4. C'est . . . élève peu doué.
5. C'est . . . enfant abandonnée.
6. C'est . . . philosophe géniale.

c) **Indiquez si les noms suivants désignent des hommes ou des femmes.**
   1. des secrétaires compétents
   2. des propriétaires bien attentionnées
   3. des locataires ennuyés
   4. des concierges occupés
   5. des pensionnaires punies
   6. des camarades désolés

d) **Employez les mots suivants dans de courtes phrases.**
   1. le tour / la tour
   2. le poêle / la poêle
   3. le vase / la vase
   4. le moule / la moule
   5. le voile / la voile

LE PLURIEL DES NOMS

OBSERVEZ BIEN LES MOTS SUIVANTS.

l'enfant / les enfants
la mère / les mères

le fils / les fils
l'époux / les époux

☆ RÈGLE

Pour former le pluriel, on ajoute un **s** au nom singulier.
Ex.: *l'enfant / les enfants.*

Les noms qui se terminent par **s** ou **x** au singulier ne changent pas au pluriel.
Ex.: *le fils / les fils, l'époux / les époux.*

POUR APPLIQUER LA RÈGLE

a) Mettez au pluriel les mots qui sont en italique.
1. Les *tortue* ne se pressent pas.
2. Les *lion* sont-ils vraiment les rois de la jungle?
3. Les *rhinocéros* ne sont pas inoffensifs.
4. Les *ours* sont omnivores.

b) Choisissez le mot qui convient pour compléter les phrases suivantes.

poissons — livres — navires — revue — fruit — gâteau — bateau
saumon — légumes — cadeau

1. Plusieurs . . . franchissent les écluses de la Voie maritime chaque année.
2. Il faut manger des . . . chaque jour.
3. Aimerais-tu recevoir deux . . . pour ton anniversaire?
4. Stephen et Annie ont pêché de nombreux . . . dans cette rivière.

c) Donnez le singulier des mots suivants.
1. les pois
2. les pyramides
3. les pizzas
4. les oeufs
5. les croix
6. les gars
7. les noix
8. les pays
9. les radis
10. les colis
11. les bras
12. les faux
13. les poids
14. les rois
15. les prix

d) Composez une phrase avec chacun des mots suivants que vous emploierez au pluriel.

1. un accident
2. un pont
3. un train
4. une autoroute
5. un avion

e) De quelle façon se forme le pluriel des mots suivants?

1. le dictionnaire
2. l'index
3. la bibliothèque
4. l'encyclopédie
5. la voix
6. la taxe
7. la guerre
8. l'obus

LE PLURIEL DES NOMS QUI SE TERMINENT PAR -OU

 OBSERVEZ BIEN LES MOTS SUIVANTS.

un clou/des clous
un verrou/des verrous
un sou/des sous
un cou/des cous
un bambou/des bambous

☆ RÈGLE

Les mots qui se terminent par **-ou** au singulier prennent un **s** au pluriel.

Ex.: *un clou/des clou**s**, un sou/des sou**s**, un bambou/des bambou**s**.*

Attention aux exceptions suivantes :

un bijou/des bijou**x**
un caillou/des caillou**x**
un chou/des chou**x**
un genou/des genou**x**

un hibou/des hibou**x**
un pou/des pou**x**
un joujou/des joujou**x**

POUR APPLIQUER LA RÈGLE

Composez une phrase avec chacun des mots suivants que vous emploierez au pluriel.

1. un voyou
2. un caillou
3. un fou

4. un hibou
5. un bijou
6. un trou

LE PLURIEL DES NOMS QUI SE TERMINENT PAR -*EU*

▢ OBSERVEZ BIEN LES MOTS SUIVANTS.

un feu/des feux
un aveu/des aveux
un adieu/des adieux
un cheveu/des cheveux
un dieu/des dieux

☆ RÈGLE

Les mots qui se terminent par **-eu** au singulier prennent un **x** au pluriel.

Ex.: *un feu/des feux, un aveu/des aveux, un dieu/des dieux.*

Attention aux exceptions suivantes :
un bleu/des bleu**s**
un pneu/des pneu**s**

POUR APPLIQUER LA RÈGLE

Composez une phrase avec chacun des mots suivants que vous emploierez au pluriel.

1. un cheveu
2. un lieu
3. un pneu

4. un voeu
5. un bleu
6. un neveu

LE PLURIEL DES NOMS QUI SE TERMINENT PAR -AU

OBSERVEZ BIEN LES MOTS SUIVANTS.

un fourneau/des fourneaux
un bateau/des bateaux
un cadeau/des cadeaux
un barreau/des barreaux
un lambeau/des lambeaux

⭐ RÈGLE

Les noms qui se terminent par **-au** au singulier prennent un **x** au pluriel.

Ex.: *un bateau/des bateaux, un cadeau/des cadeaux.*

Attention aux exceptions suivantes:
un landau/des landau**s**
un sarrau/des sarrau**s**

POUR APPLIQUER LA RÈGLE

Composez une phrase avec chacun des mots suivants que vous emploierez au pluriel.

1. un morceau
2. un traîneau
3. un landau

4. un réseau
5. un sarrau
6. un Esquimau

LE PLURIEL DES NOMS QUI SE TERMINENT PAR *-AL*

 OBSERVEZ BIEN LES MOTS SUIVANTS.

un général/des généraux
un hôpital/des hôpitaux
un cheval/des chevaux
un canal/des canaux
un signal/des signaux

☆ RÈGLE

Les noms qui se terminent par **-al** au singulier forment leur pluriel en **-aux.**

Ex.: *un hôpital/des hôpit**aux**, un signal/des sign**aux.***

Attention aux exceptions suivantes:

un bal/des b**als**
un carnaval/des carnav**als**
un cérémonial/des cérémoni**als**
un chacal/des chac**als**
un festival/des festiv**als**
un régal/des rég**als**
un récital/des récit**als**

POUR APPLIQUER LA RÈGLE

Composez une phrase avec chacun des mots suivants que vous emploierez au pluriel.

1. un amiral
2. un bal
3. un Oriental
4. un festival
5. un provincial
6. un récital
7. un carnaval
8. un éditorial

LE PLURIEL DES NOMS QUI SE TERMINENT PAR *-AIL*

 OBSERVEZ BIEN LES MOTS SUIVANTS.

un chandail/des chandails
un détail/des détails
un attirail/des attirails
un éventail/des éventails
un portail/des portails

☆ RÈGLE

Les noms qui se terminent par **-ail** au singulier prennent un **s** au pluriel.

Ex.: *un chandail/des chandail**s**, un détail/des détail**s**.*

Attention aux exceptions suivantes:

un travail/des trav**aux**   un émail/des ém**aux**
un bail/des b**aux**   un vitrail/des vitr**aux**
un corail/des cor**aux**

POUR APPLIQUER LA RÈGLE

Composez une phrase avec chacun des mots suivants que vous emploierez au pluriel.

1. un vitrail
2. un rail
3. un bail
4. un travail
5. un gouvernail
6. un corail
7. un épouvantail
8. un soupirail

LE PLURIEL DES NOMS (récapitulation)

POUR APPLIQUER LES RÈGLES

Écrivez correctement les mots qui sont entre parenthèses.

1. À Noël, on échange des (*voeu*) et des (*cadeau*).

2. Les étudiants organisent des (*bal*) chaque année.

3. Les (*chameau*) traversent le désert sous les (*feu*) du soleil.

4. Ce peintre utilise beaucoup les (*bleu*).

5. Vos (*travail*) ne doivent pas être négligés.

6. David s'est heurté les (*genou*) en tombant.

7. Il faut signer les (*bail*) avant le 1er juillet.

8. Économisez vos (*sou*) en prévision des (*carnaval*).

9. Nous suivrons tous les (*détail*) de cette affaire.

10. Durant l'été se dérouleront de nombreux (*festival*).

LES NOMS QUI SE TERMINENT PAR -É ET PAR -ÉE

 OBSERVEZ BIEN LES MOTS SUIVANTS.

amitié
beauté
bonté
charité
cruauté
dignité
gaieté
rigidité

assiettée
bouchée
brassée
charretée
cuillerée
enjambée
pelletée
poignée

☆ RÈGLE

Les noms qui se terminent par **-é** viennent d'un adjectif qualificatif.
Ex.: *bon/bonté, digne/dignité, gai/gaieté.*

Les noms qui se terminent par **-ée** indiquent le contenu.
Ex.: *assiettée, cuillerée, pelletée.*

POUR APPLIQUER LA RÈGLE

Orthographiez correctement les mots suivants.

1. méchancet . . .
2. tabl . . .
3. fermet . . .
4. tranquillit . . .
5. bouff . . .

6. anxiét . . .
7. matin . . .
8. sensibilit . . .
9. gorg . . .
10. cuv . . .

LE COMPLÉMENT DU NOM

☐ OBSERVEZ BIEN LES EXPRESSIONS SUIVANTES.

le début du cours	un couteau de poche	une table de cuisine
le début de la lutte	un couteau de cuisine	une table de travail
le début de la crise	un couteau à dépecer	une table de nuit
le début de l'année	un couteau de chasse	une table d'opération

☆ RÈGLE

Comme les verbes, les noms peuvent aussi être suivis d'un complément introduit par une préposition, généralement **de**, parfois **à**. On appelle ce complément **un complément du nom.**

Ex.: *Le début **de l'année**, un couteau **à dépecer**, une table **de nuit**.*

POUR APPLIQUER LA RÈGLE

a) Complétez les expressions suivantes.

un plat de . . .	un chandail de . . .	un travail de . . .
un plat de . . .	un chandail de . . .	un travail de . . .
un plat de . . .	un chandail de . . .	un travail de . . .

b) Complétez les phrases suivantes avec un complément du nom.

Au bord d(e) . . . , une tribu d(e) . . . avait construit un village d(e) . . . pour se protéger des froids d(e) . . . qui viendrait rapidement. Les Indiens avaient entreposé leurs canots d(e) . . . dans le sous-bois et étaient rapidement partis reconnaître leur territoire d(e) . . . Ils virent de nombreuses pistes d(e) . . . et d(e) . . . Ils étaient heureux. Maintenant, ils savaient qu'ils auraient une bonne saison d(e) . . .

LE MOT EN APPOSITION

OBSERVEZ BIEN LES PHRASES SUIVANTES.

1. Gilles Carle, le réalisateur du film, sera présent à la projection.
2. Carole Laure, l'actrice principale, est également attendue.
3. Ce film, le grand succès de la saison, passe sur tous les écrans de la ville.
4. Les spectateurs, cinéphiles avertis, ont été charmés et secoués.
5. Les acteurs, amateurs ou professionnels, sont éblouissants.
6. Le cinéma, ce merveilleux divertissement, est aussi appelé 7e art.
7. Tous les films québécois, en couleurs ou en noir et blanc, sont classés à la cinémathèque.

☆ RÈGLE

Les mots en apposition sont toujours entre virgules et ils servent à expliquer le nom précédent.

Ex.: *Ce film, **le grand succès de la saison,** passe sur tous les écrans.*

POUR APPLIQUER LA RÈGLE

Complétez les phrases suivantes avec les mots de votre choix.

1. Maurice Richard, . . . , était l'idole de tout le Québec.
2. Félix Leclerc, . . . , s'est acheté une ferme à l'île d'Orléans.
3. Jules Verne, . . . , l'avait prédit.
4. Cléopâtre, . . . , n'avait pas un si long nez.
5. Ma meilleure amie, . . . , ne pourra pas venir nous rejoindre.
6. Diane Dufresne, . . . , fera une tournée à travers toute la province.

LE PLURIEL DES NOMS COMPOSÉS

◻ OBSERVEZ BIEN LES MOTS SUIVANTS.

des oiseaux-mouches
des wagons-restaurants
des coffres-forts
des grands-mères
des basses-cours
des clairs-obscurs

des couvre-lits
des bouche-trous
des pince-sans-rire
des passe-partout
des haut-parleurs
des arrière-boutiques

☆ RÈGLE

Dans les noms composés, seuls les noms et les adjectifs prennent la marque du pluriel.

Ex.: *des oiseaux-mouches, des coffres-forts.*

Les autres éléments: adverbes, verbes, prépositions, pronoms, restent invariables.

Ex.: *des pince-sans-rire, des haut-parleurs.*

◻ OBSERVEZ BIEN LES MOTS SUIVANTS.

des bains-marie
des timbres-poste
des soutiens-gorge
des arcs-en-ciel

des clins d'oeil
des eaux-de-vie
des pots-de-vin
des chefs-d'oeuvre

des coq-à-l'âne
des pied-à-terre
des pot-au-feu
des tête-à-tête

☆ RÈGLE

Quand l'un des deux noms dépend de l'autre (qu'il s'y rattache ou non par une préposition), le nom dépendant reste invariable, l'autre varie.

Ex.: *des soutiens-gorge, des clins d'oeil, des pots-de-vin.*

Le sens exige parfois que les deux noms restent invariables.

Ex.: *des pied-à-terre, des pot-au-feu, des tête-à-tête.*

OBSERVEZ BIEN LES MOTS SUIVANTS.

des abat-jour
des brise-glace
des casse-cou
des casse-croûte
des coupe-papier
des gagne-pain
des gratte-ciel
des porte-monnaie
des souffre-douleur

des croque-morts
des cure-dents
des garde-meubles
des tire-bouchons

un/des casse-noisettes
un/des compte-gouttes
un/des porte-avions
un/des porte-clefs
un/des presse-papiers

☆ RÈGLE

Dans les noms composés formés d'un verbe et d'un complément d'objet direct, tantôt le complément varie, tantôt il reste invariable. Faute de règle précise, il faut parfois consulter le sens.

Ex.: *des brise-glace* (ils brisent la glace), *des porte-monnaie* (ils portent la monnaie).

Dans certains noms composés, même au singulier, le complément a toujours la marque du pluriel.

Ex.: *un/des casse-noisettes, un/des porte-clefs.*

OBSERVEZ BIEN LES MOTS SUIVANTS.

des gardes-barrières
des gardes-malades
des gardes-chasse
des gardes-pêche

des garde-boue
des garde-manger
des garde-meubles
des garde-robes

☆ RÈGLE

Avec **garde, garde** prend un **s** quand le nom composé désigne un être animé (**garde** équivaut alors à **gardien**) ; il reste invariable quand le nom désigne une chose.

Ex.: *des gardes-malades, des garde-robes.*

OBSERVEZ BIEN LES MOTS SUIVANTS.

des ex-voto
des post-scriptum
des nota bene

des statu quo
des pick-up

☆ RÈGLE

Dans les noms composés, les mots étrangers restent invariables.
Ex.: *des ex-voto, des nota bene, des pick-up.*

POUR APPLIQUER LES RÈGLES

Mettez au pluriel les noms composés suivants.

1. un arc-en-ciel
2. un porte-avions
3. une basse-cour
4. une garde-malade
5. un pot-au-feu
6. un gratte-ciel
7. un post-scriptum
8. un garde-manger
9. un haut-parleur
10. un timbre-poste
11. un coupe-papier
12. une grand-mère
13. un couvre-lit
14. un tête-à-tête
15. un porte-monnaie
16. un tire-bouchon
17. un statu quo
18. un oiseau-mouche
19. une eau-de-vie
20. un garde-boue

LE PLURIEL DES NOMS PROPRES

■ OBSERVEZ BIEN LES PHRASES SUIVANTES.

1. Les Kennedy sont issus d'une illustre famille.
2. La dynastie des Bourbons est célèbre à cause de ses rois.
3. Les Molières sont rares, même si la comédie théâtrale a connu bien des imitateurs.
4. Les Chinois fêtent leur Nouvel An vers la fin de janvier ou au début de février.
5. Les Riopelle et les Pellan sont des tableaux admirés et reconnus partout au Québec, et souvent à l'étranger.
6. Peu de galeries d'art montréalaises ont déjà eu l'honneur d'exposer des Picasso.
7. On compte trois Amériques.
8. Lors d'une élection au Québec, deux René Lévesque s'étaient présentés dans la même circonscription électorale.
9. Partout au Québec, et au Saguenay en particulier, il y a une foule de Tremblay.
10. La bibliothèque de la polyvalente reçoit deux *Presse* et trois *Devoir* quotidiennement.

Établissez un tableau comprenant trois colonnes: l'une réservée aux noms propres qui prennent la marque du pluriel; l'autre, aux noms propres qui restent invariables; utilisez la troisième colonne de votre tableau pour justifier l'accord de ces noms propres en fonction des règles explicitées ci-dessous.

Noms propres variables au pluriel	Noms propres invariables au pluriel	Justification du pluriel ou non
	Les Kennedy	Famille entière

☆ RÈGLE

Les noms propres prennent la marque du pluriel quand ils désignent:
- des familles royales ou princières: *les Tudors, les Condés*;
- des imitateurs de personnages connus: *les Mécènes, les Don Juans*;
- des peuples: *les Italiens, les Grecs*;
- des noms géographiques: *les Carolines, les Flandres*;
- des oeuvres par le nom de leur sujet: *des Cupidons, des Apollons*.

Les noms propres ne prennent pas la marque du pluriel quand ils désignent:
- des familles entières: *les Lapointe, les Dupont*;
- des individus qui portent le même nom: *les Stastny, les Richard*;
- des titres d'ouvrage, de revue, de journal: *des Tintin, des Châtelaine*;
- des objets portant le nom d'une marque commerciale: *des Cadillac, des Ralph Lauren*;
- des oeuvres par le nom de l'auteur: *des Cézanne, des Renoir*.

POUR APPLIQUER LA RÈGLE

Mettez, s'il y a lieu, les noms propres des phrases suivantes au pluriel et justifiez cet accord.

1. Le trône d'Angleterre a été occupé par deux (*Elizabeth*).
2. Les (*Thériault*), les (*Leclerc*) ont écrit de bonnes nouvelles littéraires.
3. Des (*Villeneuve*) sont aussi exposés en Europe.
4. Priscilla a encore dix (*Soleil*) à livrer.
5. Les (*Amérindien*) ont accepté une nouvelle fois de se rendre à Ottawa.
6. Léo Marc se rendra dans les (*Guyane*) à son retour des (*Rocheuse*).
7. Les (*Dion*) d'Amérique se rencontrent annuellement aux (*Antille*).
8. Connaissez-vous des (*Séraphin*) et des (*Donalda*)?
9. Les (*Perón*) sont fort connus en Argentine.
10. Il y a deux (*Apple*) et cinq (*Walkman*) à gagner.

L'ADJECTIF ET L'ADVERBE

l'accord de l'adjectif

les adjectifs qui se terminent par *-et* et par *-c*

le pluriel des adjectifs qui se terminent par *-eu*

le pluriel des adjectifs qui se terminent par *-au*

le pluriel des adjectifs qui se terminent par *-al*

les adjectifs féminins qui se terminent par *-guë*

l'accord des adjectifs composés

les mots désignant la couleur

tout

quel

quelque... quel que

possible

tel

même

demi, nu, vingt, cent, mille

les adjectifs et les participes passés employés comme
adverbes ou comme prépositions

L'ACCORD DE L'ADJECTIF

 OBSERVEZ BIEN LES MOTS SUIVANTS.

un ami loyal / une amie loyale
un coloris délicat / une couleur délicate
des impôts trop lourds / des charges trop lourdes
des employés très occupés / des employées très occupées

☆ RÈGLE

L'adjectif s'accorde en genre et en nombre avec le nom auquel il se rapporte.
Ex. : *un ami loyal / une amie loyale.*

POUR APPLIQUER LA RÈGLE

a) Mettez l'adjectif qui convient et faites-le accorder.

précis — grand — brun — froid — carré — savant

1. Les jours . . . annonçaient l'automne.
2. Deux tours . . . indiquaient l'emplacement du fort.
3. La . . . salle s'illumina subitement.
4. À 9 h . . . , les enfants se couchaient.
5. Sa chevelure était . . .
6. C'était une fille très . . .

b) Composez une phrase avec chacun des adjectifs suivants que vous emploierez au masculin puis au féminin.

épais — petit — droit — court — incroyable — lointain

c) Composez une phrase avec chacun des adjectifs suivants que vous emploierez au pluriel.

simple — seul — lourd — inconnu — vrai — poli

d) Dans les exemples suivants, accordez l'adjectif en genre et en nombre avec le nom auquel il se rapporte.

1. l'atmosphère (*étouffant*)
2. l'asphalte (*mouillé*)
3. l'ananas bien (*mûr*)
4. l'épisode (*amusant*)
5. l'autoroute (*encombré*)
6. l'édifice (*inachevé*)
7. l'astuce (*étonnant*)
8. l'ecchymose (*bleu*)
9. l'emblème (*royal*)
10. l'entracte très (*long*)
11. l'équilibre (*menacé*)
12. l'incendie (*meurtrier*)
13. l'ascenseur (*surchargé*)
14. l'argent bien (*gagné*)
15. des armoires bien (*garni*)
16. des affaires mal (*rangé*)
17. des indices (*troublant*)
18. des interrogatoires (*fatigant*)
19. des intervalles (*régulier*)
20. des orages (*dangereux*)
21. des escaliers (*enneigé*)
22. des autobus trop (*lent*)
23. des arrosoirs (*abîmé*)
24. des étés (*merveilleux*)
25. des épithètes bien (*trouvé*)
26. des airs (*connu*)
27. des avions trop (*vieux*)
28. des anniversaires (*oublié*)

Pourquoi est-ce difficile de bien accorder l'adjectif dans ces exemples?
Quel est le trait commun de tous ces mots?
Classez tous ces mots suivant leur genre et tentez de les mémoriser.

LES ADJECTIFS QUI SE TERMINENT PAR -*ET* ET PAR -*C*

☐ OBSERVEZ BIEN LES MOTS SUIVANTS.

un logis coquet / une maison coquette
un message secret / une entrée secrète
un chemin public / une assemblée publique
un vêtement blanc / une chemise blanche
un temps sec / une température sèche

☆ RÈGLE

Les adjectifs qui se terminent par **-et** au masculin redoublent le **t** devant le **e** du féminin.

Ex.: *coquet* / *coquette*.

Exceptions: *secrète, complète, inquiète, concrète, désuète, discrète* où l'on met l'accent grave sur le **e**.

Les adjectifs qui se terminent par **-c** au masculin forment le féminin avec le suffixe **que** ou avec le suffixe **che**.

Ex.: *public* / *publique*, *blanc* / *blanche*, *sec* / *sèche* (où l'on met l'accent grave sur le **e**). Cependant *grec* fait *grecque*.

POUR APPLIQUER LA RÈGLE

a) **Trouvez une expression dans laquelle vous utiliserez les adjectifs suivants au féminin.**

1. un prix net
2. un plan concret
3. un médecin discret
4. un poil follet
5. un repas maigrelet
6. un conte simplet
7. un film muet
8. un montant rondelet
9. un succès complet
10. un vin aigrelet

b) **Faites le même exercice avec les adjectifs suivants.**

1. un missionnaire laïc
2. un pain blanc
3. un visage franc
4. un village turc
5. un quartier grec

LE PLURIEL DES ADJECTIFS QUI SE TERMINENT PAR *-EU*

☐ OBSERVEZ BIEN LES MOTS SUIVANTS.

un parapluie bleu / des parapluies bleus
un fauteuil moelleux / des fauteuils moelleux
un enfant fiévreux / des enfants fiévreux
un élève studieux / des élèves studieux
un appartement spacieux / des appartements spacieux
un joueur chanceux / des joueurs chanceux

a) Comment s'écrit généralement le son *eu* à la fin des adjectifs?
b) Quel mot fait exception?

☆ RÈGLE

Les adjectifs qui se terminent par le son **eu** s'écrivent **-eux** au singulier comme au pluriel.

Ex.: *un joueur chanceux / des joueurs chanceux.*
Exception: *bleu / bleus.*

POUR APPLIQUER LA RÈGLE

Composez une phrase avec chacun des adjectifs suivants qui se rapporteront à des noms masculins employés au pluriel.

1. furieux
2. soyeux
3. bleu
4. frileux
5. copieux
6. curieux
7. fâcheux
8. creux

LE PLURIEL DES ADJECTIFS QUI SE TERMINENT PAR -AU

 OBSERVEZ BIEN LES MOTS SUIVANTS.

Colonne A

un problème ardu / des problèmes ardus
un accent aigu / des accents aigus
un professeur barbu / des professeurs barbus
un bébé joufflu / des bébés joufflus
un passage défendu / des passages défendus
un air inconnu / des airs inconnus
un événement imprévu / des événements imprévus

Colonne B

un vin nouveau / des vins nouveaux
un frère jumeau / des frères jumeaux
un beau garçon / des beaux garçons

a) Que remarquez-vous sur le pluriel des adjectifs de la colonne A?
b) Que remarquez-vous sur le pluriel des adjectifs de la colonne B?

☆ RÈGLE

Les adjectifs qui se terminent par **-au** au singulier prennent un **x** au pluriel.

Ex.: *un vin nouve**au** / des vins nouve**aux**.*

POUR APPLIQUER LA RÈGLE

Écrivez correctement s ou x.

1. des touristes bienvenu . . .
2. des arbres feuillu . . .
3. des mots nouveau . . .
4. des adversaires vaincu . . .
5. des enfants bien beau . . .

LE PLURIEL DES ADJECTIFS QUI SE TERMINENT PAR -AL

OBSERVEZ BIEN LES MOTS SUIVANTS.

Colonne A

un adversaire loyal / des adversaires loyaux
un appel local / des appels locaux
un vent glacial / des vents glaciaux
un bas thermal / des bas thermaux
un garçon matinal / des garçons matinaux
un habit original / des habits originaux
un rassemblement général / des rassemblements généraux
un traitement médical / des traitements médicaux
un air spécial / des airs spéciaux

Colonne B

un combat naval / des combats navals
un village natal / des villages natals
un accident fatal / des accidents fatals

a) **Que remarquez-vous sur le pluriel des adjectifs de la colonne A?**
b) **Que remarquez-vous sur le pluriel des adjectifs de la colonne B?**
c) **Quels adjectifs font exception?**

☆ RÈGLE

Les adjectifs qui se terminent par **-al** au singulier forment leur pluriel en **-aux**.

Ex.: *un appel local / des appels locaux.*
Exceptions: *naval/navals, natal/natals, fatal/fatals.*

POUR APPLIQUER LA RÈGLE

Écrivez correctement -aux ou -als.

1. des coups brut . . .
2. des hommes géni . . .
3. des pays nat . . .
4. des instants fat . . .
5. des prix minim . . .
6. des résultats tot . . .

LES ADJECTIFS FÉMININS QUI SE TERMINENT PAR -GUË

◻ OBSERVEZ BIEN LES MOTS SUIVANTS.

un mot ambigu / une conversation ambiguë
un bout aigu / une pointe aiguë
un appartement exigu / une pièce exiguë
un bureau contigu / une chambre contiguë

☆ RÈGLE

Les adjectifs qui se terminent par **-gu** s'écrivent avec un **tréma** sur le **e** final quand ils sont au féminin.
   Ex.: *un mot ambigu / une conversation ambiguë.*

POUR APPLIQUER LA RÈGLE

Complétez les mots suivants.

Dans la salle contigu . . . , des gens ambigu . . . maniaient des objets aigu . . .

Il était facile d'entendre des voix aigu . . . dans une pièce aussi exigu . . .

L'ACCORD DES ADJECTIFS COMPOSÉS

 OBSERVEZ BIEN LES MOTS SUIVANTS.

Adjectif composé

1. une personne sourde-muette
2. une fillette court-vêtue
3. des rayons ultra-violets
4. des réponses aigres-douces
5. des chatons nouveau-nés
6. l'avant-dernière page
7. une femme haut placée
8. des coutumes canadiennes-françaises
9. des médecins sud-américains
10. des politiciens tout-puissants

Nature grammaticale

a) Adjectif composé formé de deux adjectifs qualifiant le même nom.
b) Adjectif composé formé d'un mot invariable et d'un adjectif qualifiant le nom.
c) Adjectif composé formé d'un adjectif à valeur adverbiale et d'un adjectif qualifiant le nom.

Associez les adjectifs qualificatifs que vous retrouvez ci-haut aux natures grammaticales qui sont données.

☆ RÈGLE

Les adjectifs composés peuvent être formés :

a) de deux adjectifs qualifiant le même nom.
   Les deux adjectifs s'accordent alors avec le nom ;
   Ex.: *une personne sourde-muette.*

b) d'un mot invariable et d'un adjectif qualifiant le nom.
   Seul l'adjectif s'accorde avec le nom ;
   Ex.: *des rayons ultra-violets.*

c) d'un adjectif à valeur adverbiale et d'un adjectif qualifiant le nom.
   Seul l'adjectif s'accorde avec le nom.
   Ex.: *une fillette court-vêtue.*

POUR APPLIQUER LA RÈGLE

a) En quoi les exemples suivants sont-ils des exceptions à votre règle?
1. Des roses fraîches cueillies.
2. Des fenêtres grandes ouvertes.
3. Des enfants derniers nés.
4. Des amis nouveaux mariés.
5. Des directrices toutes-puissantes.

b) Ajoutez, s'il y a lieu, une nouvelle règle pour rendre compte des cas suivants.
1. Des usines hydro-électriques.
2. La guerre hispano-américaine.
3. Des scènes tragi-comiques.
4. Des quartiers italo-québécois.

LES MOTS DÉSIGNANT LA COULEUR

 OBSERVEZ BIEN LES MOTS SUIVANTS.

des murs ocre
des cheveux poivre et sel
des yeux bleus
des yeux bleu foncé
des gants jaune paille

☆ RÈGLE

Le nom employé pour désigner la couleur peut être simple ou composé; dans les deux cas, il reste invariable parce qu'il est complément du mot «couleur» sous-entendu ou qu'il y a une comparaison implicite.

    Ex.: *des murs **ocre*** (de la couleur de l'ocre);
        *des cheveux **poivre et sel*** (de la couleur du poivre et du sel).

L'adjectif employé pour désigner la couleur peut être simple ou composé:

  a) s'il est simple, il s'accorde avec le nom qu'il qualifie;
    Ex.: *des yeux **bleus.***

  b) s'il est composé d'un autre adjectif ou d'un nom, l'ensemble reste invariable.
    Ex.: *des yeux **bleu foncé*** (d'un bleu foncé);
        *des gants **jaune paille*** (d'un jaune paille).

Certains noms, désignant la couleur, sont devenus de véritables adjectifs et s'accordent donc avec le nom qu'ils qualifient. Il s'agit de **rose, écarlate, mauve, pourpre.** Attention à **orange** qui n'est pas encore considéré comme un véritable adjectif et qui reste toujours invariable.

    Ex.: *des rubans **roses**;*
        *des joues **écarlates**;*
        *des crayons **orange.***

POUR APPLIQUER LA RÈGLE

a) Classez les mots suivants en deux colonnes, l'une pour les noms, l'autre pour les adjectifs.

1. rose	6. brique	11. turquoise	16. safran
2. orange	7. corail	12. vermillon	17. azuré
3. écarlate	8. pourpre	13. coquelicot	18. blond
4. beige	9. mauve	14. jaunâtre	19. marron
5. cerise	10. kaki	15. violet	20. cuivré

b) Formez des noms ou adjectifs composés désignant la couleur en faisant correspondre un mot de la première colonne à un autre de la deuxième.

1. jaune	a. argenté
2. brun	b. pomme
3. feuille	c. marine
4. orange	d. blanchâtre
5. rouge	e. cassé
6. café	f. vénitien
7. bleu	g. clair
8. lie	h. de biche
9. blond	i. ivoire
10. sang	j. de vin
11. vert	k. vif
12. châtain	l. morte
13. ventre	m. au lait
14. gris	n. cuivré
15. blanc	o. et or
16. vieil	p. de boeuf

c) Faites, s'il y a lieu, l'accord des adjectifs suivants.

1. Des cheveux (*châtain clair*).
2. Des teintes (*pourpre et or*).
3. Des uniformes (*kaki*).
4. Des chaussures (*brun foncé*).
5. Des lueurs (*cuivré*).
6. Des drapeaux (*bleu blanc rouge*).
7. Des joues (*écarlate*).
8. Des bonbons (*orange*).
9. Des eaux (*bleu verdâtre*).
10. Des taches (*noir et blanc*).

d) **Rédigez cinq phrases comportant des noms employés pour désigner la couleur.**
Comparez vos phrases avec celles qu'ont rédigées vos camarades de classe. Les mots désignant la couleur dans ces phrases sont-ils des noms ou des adjectifs? Sont-ils bien accordés?

e) **À vous de décrire les couleurs suivantes.**
1. Des tentures gorge-de-pigeon.
2. Des rubans incarnat.
3. Des fonds de ciel ponceau.
4. Des fils safran et pourpre.
5. Des eaux turquoise.
6. Des ceintures vermillon.
7. Des flots azurés.
8. Des reflets lie de vin.
9. Des robes pervenche.
10. Des corolles amarante.
11. Des moquettes ventre de biche.
12. Des cheveux blond vénitien.

TOUT

☐ OBSERVEZ BIEN LES PHRASES SUIVANTES.

1. Tous les élèves finissaient leurs travaux avec sérieux.
2. Elle n'avait que du pain pour toute nourriture.
3. Comme chaque année au Nouvel An, nous veillerons toute la nuit.
4. Elle a fini par rembourser toutes ses dettes.
5. Toute activité lui était déconseillée par son médecin de famille.
6. Toute autre réponse aurait été mal reçue, je vous prie de me croire.

Tout **signifie-t-il dans ces phrases:**
a) entier ou unique;
b) les uns et les autres;
c) chaque ou n'importe quel?

☆ RÈGLE 1

Tout est adjectif qualificatif quand il signifie **entier** ou **unique.**
   Ex.: *Nous veillerons **toute** la nuit.*

Tout est adjectif indéfini et fait **tous** au masculin pluriel, **toutes** au féminin pluriel:
   a) quand il signifie *les uns et les autres sans exception*;
      Ex.: *Elle a fini par rembourser **toutes** ses dettes.*

   b) quand il signifie *chaque ou n'importe quel.*
      Ex.: ***Toute** autre réponse aurait été mal reçue.*

☐ OBSERVEZ BIEN LES PHRASES SUIVANTES.

1. Tous les enfants sont la fierté de leurs parents.
2. Nous sommes tous impuissants devant la douleur humaine.
3. Les enfants se ressemblent tous à un certain âge.
4. Tous iront au sommet éducatif pour effectuer tous les changements désirés.

a) Dans quelles phrases faut-il prononcer le s de *tous*?
b) Quels *tous* sont pronoms dans ces phrases?

☆ RÈGLE 2

Tout est pronom indéfini et fait **tous** au masculin pluriel, **toutes** au féminin pluriel lorsqu'il représente un ou plusieurs noms ou pronoms précédemment exprimés, ou lorsqu'il signifie *toute chose, tout le monde, tous les hommes.*

> **Ex.:** *Nous sommes **tous** impuissants devant la douleur humaine.*
> ***Tous** iront au sommet éducatif.*

POUR APPLIQUER LA RÈGLE

Quel est le sens du pronom indéfini en caractères gras dans les phrases qui suivent?

1. Le 8 mars est la fête internationale des femmes, **toutes** sont au rendez-vous.
2. Elles ne se considèrent pas battues encore, même si **tout** est à refaire.
3. Les hommes sont aussi à leur côté car presque **tous** ont compris le sens de leurs revendications.
4. **Tous** veulent une meilleure compréhension entre les différentes ethnies au Québec.
5. Les villes, les moyens de transport, les conditions de travail, **tout** sera peut-être différent demain.

☐ OBSERVEZ BIEN LES PHRASES SUIVANTES.

1. Elle est tout étonnée.
2. Ils sont tout excités.
3. Ils m'ont reçue tout simplement.
4. Elle murmure tout bas.
5. Tout émerveillées, elles admirent ce spectacle.
6. Elles se sentaient toutes honteuses.
7. Sa valise était toute prête la veille du départ.

⭐ RÈGLE 3

Tout est adverbe et invariable quand il signifie *entièrement, tout à fait*. Il modifie alors un adjectif, une locution adjective, un participe, un adverbe.

Ex.: *Elle est **tout** étonnée.*

Toutefois, **tout** est adverbe et variable (**toute, toutes**) quand il précède un mot féminin commençant par une *consonne* ou un *h* aspiré.

Ex.: *Elle est **toute** honteuse, elle est **toute** prête.*

POUR APPLIQUER LES RÈGLES

a) **Lisez les phrases suivantes et faites accorder l'adverbe *tout* s'il y a lieu.**

1. Chau, un jeune homme cambodgien, est (*tout*) émerveillé de voir tomber la neige.
2. (*Tout*) surprises, les petites jumelles polonaises regardaient leur soeur aînée qui s'était fait coiffer à la mode du jour.
3. Éléna se jeta dans ses bras, (*tout*) émue de la revoir.
4. Luc est (*tout*) en peine devant sa copie: ses compagnes de classe sont (*tout*) en peine pour lui aussi.
5. La chatte de gouttière est souvent (*tout*) hérissée devant les chiens qui lui courent après.
6. La région a une (*tout*) autre apparence au printemps.

b) **Remplacez les points de suspension par *tout*. Indiquez s'il s'agit de l'adjectif ou de l'adverbe.**

1. . . . les rues et . . . les boulevards sont encombrés. La circulation est entravée par . . . ces gens . . . énervés par un pareil accident.
2. . . . les spectateurs ont vu, . . . surpris, des pompiers essayer de couper la tôle des voitures accidentées pour arracher aux flammes . . . les personnes qui ne pouvaient s'échapper.

◻ OBSERVEZ BIEN LES PHRASES SUIVANTES.

1. Le tout est plus grand que la partie.
2. Tout le résultat obtenu lors des derniers essais est la somme de bien des efforts.

a) **Comparez les deux phrases ci-dessus. Dans laquelle des deux le mot *tout* est-il un nom?**

b) **Que donnent ces deux phrases quand vous les transcrivez au pluriel?**

⭐ RÈGLE 4

Tout est nom quand il signifie *la chose entière:* il est alors précédé de l'article ou d'un déterminant et s'écrit **touts** au pluriel.

Ex.: *Le tout est plus grand que la partie.*

POUR APPLIQUER LES RÈGLES

Orthographiez correctement le mot *tout* utilisé dans les phrases suivantes et indiquez s'il s'agit de l'adjectif qualificatif, de l'adjectif indéfini, du pronom, du nom ou de l'adverbe.

1. (*Tout*) devenait clair à présent.
2. Il avait disposé sur la table des boîtes de (*tout*) formes et de (*tout*) couleurs.
3. J'ai passé (*tout*) une soirée à faire mes devoirs de physique, de chimie et de français.
4. Napayok lui offrit (*tout*) bonnement la sculpture qu'il avait faite avec amour.
5. Nuliak en fut (*tout*) heureuse!
6. Il a risqué le (*tout*) pour le (*tout*).
7. (*Tout*) peut encore arriver.
8. À (*tout*) instant, le téléphone se mettait à sonner.
9. C'est (*tout*) le portrait de son père.
10. Elle chantait (*tout*) doucement (*tout*) près du micro.
11. Et vous expédierez le (*tout*) à mon adresse.
12. Guy passe des heures au téléphone à parler de (*tout*) et de rien.
13. Ses belles mains (*tout*) blanches étaient (*tout*) écorchées.
14. À minuit, les invités n'étaient pas encore (*tout*) partis.
15. (*Tout*) les invités furent agréablement surpris.

QUEL

■ OBSERVEZ BIEN LES PHRASES SUIVANTES.

1. Quel brave homme ce laitier!
2. Quelle est cette sensation bizarre que vous dites éprouver?
3. Qui voudrait aujourd'hui savoir quelle grande femme fut Ernestine Morin, une simple fermière de Saint-Michel-de-Bellechasse?
4. Quelle cacophonie, mon Dieu! Quelle musicienne en est responsable?
5. Quelles gens louches interrogez-vous en rapport avec ce crime odieux, madame l'inspectrice de police?
6. Quel est le parti qui vous intéresse le plus, chère Annie?
7. Lolita ignorait quelle sensation on éprouve dans des montagnes russes.
8. Quels beaux tracteurs s'est procurés mon oncle Gérard, de La Pocatière!
9. Quel couple harmonieux forment André et Maude quand ils ne se disputent pas!
10. Yves ignorait quelle malheureuse nouvelle l'attendait à son retour de Rome.
11. Yvonne ignorait quelle ironie du sort l'attendait à un détour.
12. Lao Tau, quel petit Laotien extraordinaire!
13. À quelle Victoria de Colombie faites-vous allusion au juste?
14. Quels auteurs-compositeurs-interprètes extraordinaires que Leclerc et Vigneault!
15. Dans quel monologue Sol parle-t-il des «oeufs limpides»?

☆ RÈGLE

L'adjectif **quel** s'accorde en genre et en nombre avec le nom auquel il se rapporte, que ce **quel** soit près du nom ou séparé de ce nom par un mot qui fait écran (adjectif, verbe, etc.).

Ex.: *Quelle* nouvelle, *quelle* malheureuse nouvelle!
Quelle est donc cette malheureuse nouvelle?

POUR APPLIQUER LA RÈGLE

a) Composez quatre phrases dans lesquelles vous utiliserez tour à tour les quatre formes de *quel*.

1. quel
2. quelle

3. quels
4. quelles

b) Complétez les phrases suivantes avec *quel, quelle, quels* ou *quelles*.

1. . . . est votre but en agissant ainsi?
2. Elle ne savait plus à . . . saint se vouer.
3. . . . idée saugrenue!
4. Pour . . . raisons ont-ils refusé de venir?
5. . . . horribles événements! . . . horreur!
6. . . . sont ces bruits qui m'empêchent de dormir?

QUELQUE... QUEL QUE

1. Quelques personnes étaient présentes à la réunion.
2. Il y a quelque deux cents personnes à la réunion.
3. Quelque motivées qu'elles soient, leur nombre est insuffisant.

☆ RÈGLE

Quelque est adjectif indéfini et s'accorde quand il précède immédiatement un nom ou n'en est séparé que par un adjectif que l'on peut supprimer. Il désigne alors de façon vague et indéterminée un être ou une chose ou une petite quantité. On peut le remplacer par *certain, plusieurs, un peu de, un* ou *des*.

   Ex.: ***Quelques*** *personnes étaient présentes à la réunion.*

Quelque est adverbe et invariable quand on peut le remplacer par *si, aussi* ou par *environ, à peu près*.

   Ex.: *Il y a* **quelque** *deux cents personnes à la réunion.*
   Quelque *motivées qu'elles soient, leur nombre est insuffisant.*

POUR APPLIQUER LA RÈGLE

En vous aidant des solutions proposées, dites si *quelque* utilisé dans les phrases suivantes est un adjectif ou un adverbe. Faites l'accord s'il y a lieu.

1. (*Quelque*) adroitement que vous vous y preniez, vous ne réussirez pas.
   a) certains adroitement . . .   b) aussi adroitement . . .
2. (*Quelque*) grands hommes ont réussi leur vie par l'effort.
   a) certains grands hommes . . .   b) si grands hommes . . .
3. Il avait (*quelque*) deux cents dollars dans son porte-monnaie.
   a) plusieurs deux cents dollars . . .
   b) environ deux cents dollars . . .
4. Carlos a eu (*quelque*) peine à se faire accepter.
   a) un peu de peine . . .   b) aussi peine . . .
5. (*Quelque*) agréables que soient les plaisirs de l'hiver, on accueille toujours le printemps avec enthousiasme.
   a) plusieurs agréables . . .   b) si agréables . . .
6. On peut toujours trouver (*quelque*) raison de sourire.
   a) une raison . . .   b) aussi raison . . .

☆ RÈGLE

Quel que s'écrit en deux mots quand il est suivi du verbe **être** au subjonctif ou d'un verbe similaire (parfois précédé de *devoir, pouvoir*). **Quel** est alors attribut et s'accorde avec le sujet du verbe.
On peut le remplacer par *de quelque nature que.*
   Ex.: ***Quelles que*** *soient les difficultés, nous irons jusqu'au bout.*

POUR APPLIQUER LA RÈGLE

a) **Dans les phrases suivantes, *quel que* s'écrit en deux mots. Faites accorder l'adjectif indéfini *quel*, attribut du sujet. (Le verbe *être* ou le verbe similaire est souligné.)**

1. (*Quel*) que <u>soient</u> les amis que nous fréquentons, il faut agir avec eux en toute simplicité.
2. (*Quel*) que <u>soit</u> la difficulté de la langue, je l'apprendrai.
3. (*Quel*) que <u>puissent</u> être les résultats de ma décision, j'en prends toutes les responsabilités.
4. (*Quel*) que <u>soit</u> votre idée, votre concept, soyez juste.
5. (*Quel*) que <u>soient</u> les troubles que vous affrontiez, ne reculez pas.
6. (*Quel*) qu'en <u>soient</u> les résultats, je mise le tout à ce jeu.
7. (*Quel*) qu'ils <u>soient,</u> nous ne serons jamais effrayées.
8. (*Quel*) que <u>doivent</u> être la qualité et la valeur de ces produits, nous les achèterons.

b) **Employez *quelque* ou *quel... que* dans les phrases qui suivent.**

1. . . . grandioses que soient ces édifices, ils sont le fruit du travail de l'homme.
2. . . . grands que vous soyez, l'effort est la clé du succès.
3. . . . soit l'heure de votre départ, je serai à la gare.
4. Le marathon faisait bien... quinze kilomètres.
5. . . . bons succès suffisent à nous encourager.
6. . . . bons que soient vos succès, ils ne vous encourageront pas toujours.
7. Soyez juste, . . . soient vos déceptions.
8. Elles marchèrent . . . trois cents pas puis elles s'arrêtèrent.
9. . . . chroniqueurs sportifs écrivent dans une langue imagée et humoristique.
10. Les loteries font naître de l'espoir chez beaucoup de gens mais ne font que . . . heureux.

POSSIBLE

1. Parlez le moins possible.
2. Dites oui le plus souvent possible.
3. Tâchez de courir le moins de risques possible.
4. Posez le plus de questions possible.
5. Il a enduré tous les coups possibles.
6. Vous pouvez emporter tous les livres possibles.
7. Elle a invité tous les amis possibles.
8. Nous avons déployé tous les efforts possibles.

☆ RÈGLE

Possible est invariable après une locution superlative comme *le plus, le moins, le meilleur,* etc., s'il se rapporte au pronom personnel *il* sous-entendu.

Ex.: *Posez le plus de questions* **possible** (= qu'il sera possible de poser).

Possible est variable s'il se rapporte à un nom.

Ex.: *Nous avons déployé tous les efforts* **possibles.**

POUR APPLIQUER LA RÈGLE

Accordez l'adjectif *possible* s'il y a lieu dans les phrases suivantes et justifiez votre accord.

1. Vous devrez faire le moins de fautes (*possible*).
2. Vous êtes voués à tous les bonheurs (*possible*).
3. Les humains font les choses comme il leur est (*possible*).
4. C'est toujours (*possible*) de faire de grandes choses, mais il faut y mettre le plus de conviction (*possible*) si l'on veut qu'elles soient reconnues.
5. Rosy, Ginette, Louise et Nicole sont des petites pas (*possible*).
6. Je veux le voir le moins (*possible*): faites tout pour qu'il ne se présente plus à mon bureau.
7. Tous les rapports sont (*possible*), dans la mesure où ils restent sincères et véridiques.
8. Il s'agit de couper le plus d'arbres (*possible*) dans ce parc.
9. En lutte, certains coups sont (*possible*), d'autres le sont moins.
10. On doit toujours chercher les meilleurs moyens (*possible*) de se sortir du pétrin.

TEL

OBSERVEZ BIEN LES PHRASES SUIVANTES.

1. Une telle variété de couleurs anime le regard des touristes quand ils arrivent à un promontoire gaspésien!
2. Tel ami étranger vous donne sa confiance, et vous estimez ne pas la mériter!
3. Tel est pris qui croyait prendre!

☆ RÈGLE

Tel est adjectif qualificatif et s'accorde en genre et en nombre avec le nom qu'il qualifie quand il signifie *semblable*, ou *si grand*, ou *si fort*.

Ex.: *Une **telle** variété de couleurs.*

Tel est adjectif indéfini quand il est placé devant un nom et ne désigne pas précisément des personnes ou des choses. Il s'accorde aussi avec le nom qu'il qualifie.

Ex.: ***Tel** ami étranger vous donne sa confiance.*

Tel est pronom indéfini quand il désigne une personne indéterminée. Il ne s'emploie guère qu'au singulier.

Ex.: ***Tel** est pris qui croyait prendre!*

POUR APPLIQUER LA RÈGLE

a) Dans quelle phrase ci-dessous:
   tel est-il un adjectif qualificatif qui signifie *semblable*, ou *si grand*, ou *si fort*?
   tel est-il un adjectif indéfini qui exprime l'indétermination et qui se rapporte à des personnes ou à des choses qu'on ne veut pas nommer précisément?
   tel est-il un pronom indéfini qui désigne une personne indéterminée?

1. De telles réflexions méritent d'être écrites pour la postérité.
2. Tels immigrants se plaisent au Québec, tels autres sont parfois déçus.
3. Allez à tel endroit et vous y retrouverez un tel, que je ne vous nomme pas pour les raisons que vous savez.
4. Tels ils sont apparus à mes yeux, tels je me les rappelle encore.
5. Je savais bien que tel ou telle me critiquerait.

b) Pouvez-vous facilement orthographier *tel* quand ce mot est utilisé comme terme d'une comparaison ou comme terme annonçant une énumération?

Indiquez les choix possibles d'orthographe du mot *tel* dans les phrases suivantes.

1. Sur la route, le motocycliste dépassait des voitures (*tel, telle, telles*) une ombre.

2. Tous les hôpitaux ont dans leur organisation des ressources humaines diverses (*tels, telles*) que des médecins, des psychologues, des physiothérapeutes, des cuisinières, des infirmières et des infirmiers, des concierges, etc.

À la phrase 1, vous aviez le choix de l'orthographe: *tel,* en effet, quand il est conjonction de comparaison, s'accorde en genre et en nombre avec le premier terme de la comparaison (*motocycliste,* donc *tel*), ou encore avec le second (*ombre,* donc *telle*).

À la phrase 2, *tel* suivi de *que* annonce une énumération: il s'accorde donc avec le terme synthèse qui précède, soit *ressources (telles,* féminin pluriel).

MÊME

OBSERVEZ BIEN LES PHRASES SUIVANTES.

1. On fait toujours les mêmes erreurs.
2. Les premiers arrivants au pays faisaient tout eux-mêmes.
3. Ses parents, ses frères, ses amis même l'avaient abandonné.
4. Carmen est la gentillesse même.
5. C'étaient deux arbres de la même espèce.
6. Voici les paroles mêmes qu'elle a prononcées.
7. Notre chef était la droiture et la sévérité mêmes.
8. Même chez lui, il ne se sentait pas à l'aise.
9. La directrice m'a écrit et même téléphoné.

Quel sens donnez-vous à *même* **dans ces phrases:**
   a) l'identité ou la ressemblance;
   b) le renforcement;
   c) le plus haut degré;
   d) l'extension?

☆ RÈGLE

Même est un adjectif indéfini et variable quand il signifie *qui n'est pas autre.*
   a) Devant le nom, **même** exprime l'identité ou la ressemblance. Il est le plus souvent précédé d'un article ou d'un déterminant.
      Ex.: *C'étaient deux arbres de (la)* **même** *espèce.*
   b) Après le nom ou le pronom, **même** sert à souligner et à renforcer. Il se joint au pronom par un trait d'union (moi-même, eux-mêmes, etc.).
      Ex.: *Voici les paroles* **mêmes** *qu'elle a prononcées.*
   c) Après un nom exprimant une qualité, **même** indique que cette qualité est au plus haut degré.
      Ex.: *Notre chef était la droiture et la sévérité* **mêmes.**

Même est adverbe et invariable quand il signifie *aussi, également, encore, jusqu'à, de plus;* il donne alors une idée d'extension.
      Ex.: **Même** *chez lui, il ne se sentait pas à l'aise.*
      La directrice m'a écrit et **même** *téléphoné.*

POUR APPLIQUER LA RÈGLE

Identifiez, dans les phrases suivantes, la nature de *même* et faites l'accord, s'il y a lieu.

1. Il faut obéir aux lois, (*même*) quand elles nous dérangent.
2. Les (*même*) causes produisent les (*même*) effets.
3. Pour réussir, il faut que notre ardeur au travail et notre persévérance restent toujours les (*même*).
4. (*Même*) ceux qui ne lisent jamais aiment les bandes dessinées.
5. Il a fait très froid en Floride: les orangers (*même*) ont gelé.

DEMI, NU, VINGT, CENT, MILLE

demi

🔳 OBSERVEZ BIEN LES PHRASES SUIVANTES.

1. Il a acheté une demi-douzaine d'oeufs.
   Il en fallait une douzaine et demie.
2. Ma montre marque les demies.
   Il est trois heures et demie à l'horloge de la mairie.
3. Cette femme arabe se promène à demi voilée.
4. Maria parle souvent à demi-mot.
5. Quatre demis font deux entiers.
6. Victor est demi-paralysé, alors que Nadia, de son côté, est demi-morte.

À quelle règle suivante associez-vous chacun des exemples ci-dessus?

☆ RÈGLE

A- **Demi**, placé devant un adjectif, s'y rattache par un trait d'union, mais est invariable (adverbe).

   Ex.: *Victor est **demi**-paralysé, Nadia est **demi**-morte.*

B- **Demi**, comme nom, varie (à l'exemple d'un substantif ordinaire).

   Ex.: *Quatre **demis** font deux entiers.*

C- **À demi**, devant un adjectif, reste invariable et n'accepte pas le trait d'union.

   Ex.: *Cette femme arabe se promène **à demi** voilée.*

D- **Demi** ou **à demi**, placé devant un nom, reste invariable, mais se rattache à ce nom par un trait d'union.

   Ex.: *Maria parle souvent **à demi**-mot.*

E- **Demi**, placé après le nom, s'accorde en genre seulement et est coordonné à ce nom par *et*.

   Ex.: *Il est trois heures et **demie**.*

nu

OBSERVEZ BIEN LES PHRASES SUIVANTES.

1. Pascale se promène souvent nu-tête et nu-pieds.
2. Jean-François adore aller nu-jambes et les bras nus.
3. Hélène marche toujours à la plage les pieds nus.
4. Gladys et son frère Daniel avaient la tête nue au moment de leur entrée à l'église.

À quelle règle suivante associez-vous chacun des exemples ci-dessus?

☆ RÈGLE

A- **Nu** est variable quand il est placé après le nom.
  Ex.: *Elle aime marcher les pieds **nus**.*
B- **Nu** est invariable devant *bras, jambes, tête, pieds* employés sans article. Il est joint à ces noms par un trait d'union.
  Ex.: *Elle aime marcher **nu**-pieds.*

vingt, cent, mille

OBSERVEZ BIEN LES PHRASES SUIVANTES.

1. Ce livre vaut-il vraiment quatre-vingts dollars?
2. Non, ce livre vaut quatre-vingt-deux dollars.
3. Ouvrez-moi ce livre à la page quatre-vingt.
4. Ah! ce livre renferme quatre cents pages!
5. Vous avez déjà lu les cent premières pages de ce livre, vraiment?
6. Je vous demande pardon, mademoiselle, mais ce livre renferme exactement quatre cent trois pages!
7. Est-il vrai que ce livre a été publié en mil neuf cent quatre-vingt-quatre?
8. En France, l'édition de luxe de ce livre vaut trois mille francs, me dites-vous!
9. Avez-vous la nouvelle édition des *Mille et une nuits?*
10. Combien de milles ou de kilomètres doit-elle parcourir pour se rendre à la bibliothèque?

À quelle règle suivante associez-vous chacun des exemples ci-dessus?

☆ RÈGLE

A- **Vingt** et **cent**, multipliés par un autre nombre, prennent un *s* quand ils terminent l'adjectif numéral.

> **Ex.:** *Ce livre vaut quatre-**vingts** dollars, celui-ci quatre **cents**.*

B- **Vingt** et **cent** sont invariables s'ils sont mis pour vingtième ou centième.

> **Ex.:** *Ouvrez ce livre à la page quatre-**vingt**, celui-ci à la page quatre **cent**.*

C- **Vingt** et **cent** sont invariables quand ils ne terminent pas l'adjectif numéral.

> **Ex.:** *Ce livre a quatre **cent** trois pages, celui-ci quatre-**vingt**-trois pages.*

D- **Mille**, employé comme nom, est variable.

> **Ex.:** *Combien de **milles** doit-elle parcourir?*

E- **Mille**, adjectif numéral, est invariable.

> **Ex.:** *Avez-vous lu les **Mille** et une nuits?*

F- **Mille**, dans la date des années, s'écrit **mil** s'il commence la date, et **mille** à la fin d'une date; il est toujours invariable cependant.

> **Ex.:** *Nous sommes en **mil** neuf cent quatre-vingt-neuf.*
> *Bientôt l'an deux **mille**.*

POUR APPLIQUER LES RÈGLES

Confirmez votre maîtrise des règles en écrivant correctement les mots *demi*, *nu*, *vingt*, *cent*, *mille* dans les phrases suivantes.

1. Les Expos n'ont jamais remporté les (*cent*) victoires qu'on leur prédisait en (*mille*) neuf (*cent*) quatre-(*vingt*).
2. Il y a bien des victoires qui sont des (*demi*)-réussites.
3. Les enfants couraient (*nu*)-pieds, (*nu*)-jambes et tête (*nu*) dans le chaud soleil d'été.
4. Un excellent lanceur au base-ball remporte au moins deux (*cent*) (*vingt*) quatre victoires au cours de sa carrière.
5. En l'an (*mille*) huit cent onze, les Français ont salué la naissance de l'Aiglon.
6. Les (*vingt*) copains de mon fils se regroupent en fin de semaine pour faire ou écouter de la musique.
7. Dans mon compte de banque, la semaine dernière, il ne me restait que quatre (*mille*) six (*cent*) dollars.
8. Les heures et les (*demi*) sonnent toujours à l'horloge murale de ma tante Gertrude.
9. L'auteur Jacques Ferron est décédé le 21 avril (*mille*) neuf (*cent*) quatre-(*vingt*)-cinq.
10. Albert a fait près de deux (*mille*) (*mille*) durant son voyage de Beaupré à Amos, et pourtant il avait presque quatre-(*vingt*) ans.

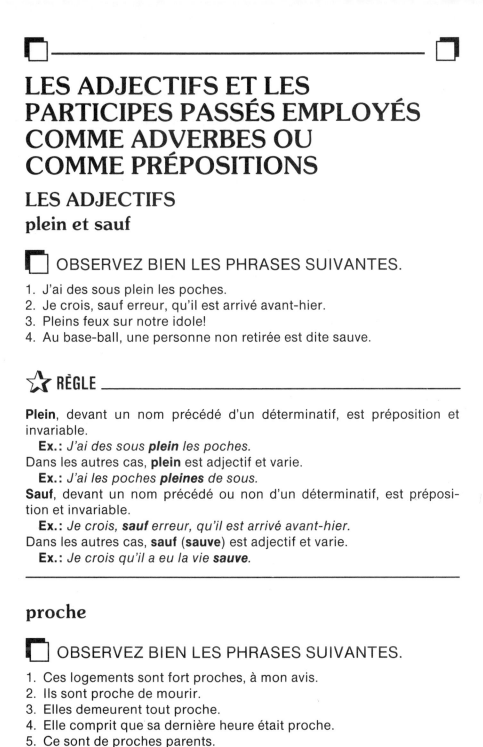

LES ADJECTIFS ET LES PARTICIPES PASSÉS EMPLOYÉS COMME ADVERBES OU COMME PRÉPOSITIONS

LES ADJECTIFS

plein et sauf

OBSERVEZ BIEN LES PHRASES SUIVANTES.

1. J'ai des sous plein les poches.
2. Je crois, sauf erreur, qu'il est arrivé avant-hier.
3. Pleins feux sur notre idole!
4. Au base-ball, une personne non retirée est dite sauve.

☆ RÈGLE

Plein, devant un nom précédé d'un déterminatif, est préposition et invariable.

    Ex.: *J'ai des sous **plein** les poches.*

Dans les autres cas, **plein** est adjectif et varie.

    Ex.: *J'ai les poches **pleines** de sous.*

Sauf, devant un nom précédé ou non d'un déterminatif, est préposition et invariable.

    Ex.: *Je crois, **sauf** erreur, qu'il est arrivé avant-hier.*

Dans les autres cas, **sauf** (**sauve**) est adjectif et varie.

    Ex.: *Je crois qu'il a eu la vie **sauve**.*

proche

OBSERVEZ BIEN LES PHRASES SUIVANTES.

1. Ces logements sont fort proches, à mon avis.
2. Ils sont proche de mourir.
3. Elles demeurent tout proche.
4. Elle comprit que sa dernière heure était proche.
5. Ce sont de proches parents.
6. Ces gens habitent proche de chez moi.

☆ RÈGLE

Proche est adjectif et variable quand il signifie «à peu de distance» ou «ce qui est sur le point d'arriver» ou «ce qui est près d'arriver» ou «dont les liens de parenté sont étroits».

Ex.: *Ces logements sont fort **proches**.*
*Sa dernière heure était **proche**.*
*Ce sont de **proches** parents.*

Proche est invariable quand il signifie «à peu de distance dans le temps ou dans l'espace»; il est alors adverbe ou bien il forme avec **de** une locution prépositive.

Ex.: *Elles demeurent tout **proche**.*
*Ces gens habitent **proche** de chez moi.*
*Ils sont **proche** de mourir.*

bas, bon, cher, clair, court, droit, faux, haut, sec, fort, etc.

☐ OBSERVEZ BIEN LES PHRASES SUIVANTES.

1. Mon père portait une petite moustache coupée court.
2. Des arbres plantés droit défilaient le long de la route.
3. Le sergent parlait haut pour se faire entendre.
4. Ses explications sonnent faux.
5. Les enfants rentrèrent car ils n'y voyaient plus clair.
6. Ah, comme ces fleurs sentent bon!

☆ RÈGLE

Un bon nombre d'adjectifs neutres (habituellement des adjectifs courts et très usuels tels que **bas, bon, cher, clair, court, droit, faux, haut, sec, fort**, etc.) s'emploient adverbialement et restent alors invariables.

Ex.: *parler **haut**, sonner **faux**, voir **clair**, sentir **bon**.*

LES PARTICIPES PASSÉS

☐ OBSERVEZ BIEN LES PHRASES SUIVANTES.

1. Pas de bruit dans la maison, excepté les rires des enfants.
2. Tout le monde dormait, les enfants exceptés.
3. Vous recevrez tous les renseignements, y compris la fiche d'inscription.
4. Vous avez en mains tous les papiers, la fiche d'inscription non comprise.
5. Passé les derniers froids, la campagne renaissait.
6. La campagne renaissait, les derniers froids passés.

☆ RÈGLE

Les participes **attendu, compris (non compris, y compris), entendu, excepté, ôté, ouï, passé, supposé, vu,** etc., s'emploient comme prépositions et restent invariables quand ils sont placés devant un nom ou un pronom.

Ex.: *Ôté quelques pages, ce livre est passionnant.*
Passé dix heures, il est toujours à la maison.
Attendu la proposition, je m'abstiens.

Quand ces mêmes participes sont placés après le mot auquel ils se rapportent, ou le précèdent par inversion, ils varient.

Ex.: *Vous trouverez tous les renseignements dans votre document, les indications de la route y comprises.*
Tous les passagers de l'avion ont péri, six ou sept exceptés.
Il est dix heures passées.

POUR APPLIQUER LES RÈGLES

a) **Faites l'accord, s'il y a lieu, des mots qui sont entre parenthèses dans les exemples suivants et justifiez chacun de vos choix.**
   1. (*Passé*) Pâques, bien des élèves pensent que l'année scolaire est terminée.
   2. Les beaux-frères sont des parents (*proche*).
   3. Barbara marchait (*droit*), tenant bien (*haut*) la tête.
   4. Il a des idées (*plein*) la tête.
   5. Je pense, (*sauf*) indication contraire, que le train partira à l'heure prévue.

6. Les voitures, quand elles sont trop (*proche*), réservent des surprises aux conducteurs distraits.
7. Ses cheveux coupés (*court*) lui donnaient un air d'enfant.
8. (*Vu*) la température de la pièce, j'imagine que nous avons raison de nous plaindre.
9. Tout vous est donné, chère madame Lalonde, l'enveloppe et la feuille (*compris*).
10. Tout est sauf, l'honneur et la notoriété (*excepté*).

b) **Pour chacun des cas suggérés ci-après, formulez une courte phrase qui démontre que vous maîtrisez la règle qui s'applique.**
   1. Attendu: préposition et invariable.
   2. Passé: participe et invariable.
   3. Fort: invariable.
   4. Plein: préposition et invariable.
   5. Sauf: préposition et invariable.
   6. Proche: locution prépositive.
   7. Vu: participe et variable.
   8. Supposé: préposition et invariable.
   9. Cher: invariable.
   10. Proche: adjectif et variable.

LES HOMOPHONES

a . . . à

ce . . . se

cet . . . cette

ces . . . ses

c'est . . . s'est

mais . . . mes

on . . . ont

on . . . sont

ça . . . sa

là . . . la . . . l'a

où . . . ou

peu . . . peux . . . peut

sûr . . . sur

d'avantage . . . davantage

leur . . . leurs

près . . . prêt

plutôt . . . plus tôt

aussitôt . . . aussi tôt

sans . . . s'en

dans . . . d'en

donc . . . dont

quand . . . quant . . . qu'en

parce que . . . par ce que

quoique . . . quoi que

quelle . . . qu'elle

quelque . . . quel que

quelquefois . . . quelques fois

A . . . À

1. Ma mère a une lettre à poster.
2. Ma mère a posté sa lettre à midi.
3. Le ministre sera à Val-d'Or dimanche.
4. Le ministre a pris cette décision hier.
5. Il faut penser à votre avenir.
6. Il y a pensé.
7. La partie se jouera à Verdun demain.
8. La partie a été jouée à Laval il y a deux jours.

a) **Quelle est la fonction du nom qui suit à?**
b) **Lequel des deux a pourrait se conjuguer?**

☆ RÈGLE

À avec l'accent grave est une préposition.
A sans accent est le verbe **avoir**. On peut le remplacer par **avait**.
   Ex.: *Ma mère a (avait) une lettre à poster.*

POUR APPLIQUER LA RÈGLE

a) **Complétez les phrases suivantes en écrivant a ou à à l'endroit voulu.**
   1. Luc . . . mal . . . la tête.
   2. La pomme est un fruit . . . pépins.
   3. Elle . . . fait ce travail . . . la main.
   4. Il . . . oublié son cahier . . . la maison.
   5. Le chien . . . rapporté le bâton . . . son maître.
   6. Le nid . . . la forme d'une coupe.
   7. Martin offre . . . sa mère une carte qu'il . . . lui-même dessi-née . . . l'école.
   8. My Lee . . . des patins . . . roulettes.
   9. L'enfant . . . peur d'être grondé . . . son retour de l'école.
   10. . . . la récréation, elle . . . été frappée par la balle.
   11. . . . l'avenir, sois attentive!

b) **Composez dix phrases sur le modèle suivant:**
   Ma mère a une lettre à poster.

c) **Quelle différence voyez-vous entre a et à?**

d) Complétez ces phrases avec _a_ ou avec _à_.

Mohamed Ali . . . signé un alléchant contrat . . . Miami, hier soir. Il . . . accepté de combattre Jo Frasier, le dix mai prochain . . . Las Vegas. On . . . été surpris . . . New York de la rapidité de cette entente. Par ailleurs, Ali . . . nié avoir caché . . . ses propres collaborateurs et . . . ses plus chauds partisans sa pauvre condition physique.

CE . . . SE

OBSERVEZ BIEN LES PHRASES SUIVANTES.

1. Juan se cache sous son lit.
2. Ce garçon est espiègle.
3. Ce sont des jeux d'enfants.
4. Ce que vous dites semble vrai.

☆ RÈGLE

Ce (C') est un déterminant ou pronom démonstratif.
> **Ex.:** *Ce garçon est espiègle.*

Se est un pronom personnel réfléchi. Il s'écrit devant un verbe pronominal et peut être remplacé par **me, te, nous, vous.**
> **Ex.:** *Il **se** cache sous son lit (il te cache sous son lit).*

On écrit **ce** dans tous les autres cas. Dans *Ce sont des jeux d'enfants*, **ce** ne peut pas être remplacé par **me, te, nous, vous.**

POUR APPLIQUER LA RÈGLE

a) **Complétez les phrases suivantes en écrivant** *ce* **ou** *se* **à l'endroit voulu.**
   1. Elle . . . demande . . . qu'elle va dire.
   2. . . . qu'il faut, . . . sont de bons vêtements chauds.
   3. Mon petit frère sait déjà . . . laver et . . . peigner tout seul!
   4. . . . chien et . . . chat . . . chamaillent tout le temps.

b) **Mettez au singulier les phrases suivantes.**
   1. Ces paons se pavanent.
   2. Ces soldats se battent avec courage.

c) **Conjuguez les verbes suivants au présent et à l'imparfait de l'indicatif.**
   se méfier   se rappeler

d) **Composez cinq phrases sur le modèle suivant:**
   Marie se baigne dans ce lac.

e) **Quelle différence voyez-vous entre** *ce* **et** *se*?

CET . . . CETTE

☐ OBSERVEZ BIEN LES MOTS SUIVANTS.

ce danseur	ce héros	cet homme	cet enfant	cette femme
ce sportif	ce handicapé	cet habitué	cet ami	cette amie
ce fermier	ce Hollandais	cet historien	cet immigrant	cette habituée

☆ RÈGLE

Ce, cet, cette sont des adjectifs démonstratifs qui s'emploient devant des noms singuliers.

Ce s'emploie devant un nom masculin commençant par une consonne ou un **h** aspiré.

Ex.: *ce danseur*, **ce** *héros*.

Cet s'emploie devant un nom masculin commençant par une voyelle ou un **h** muet.

Ex.: **cet** *enfant*, **cet** *homme*.

Cette s'emploie devant un nom féminin.

Ex.: **cette** *femme*, **cette** *amie*.

POUR APPLIQUER LA RÈGLE

a) Employez *ce, cet,* **ou** *cette* **devant les mots suivants.**

. . . but	. . . hockeyeur	. . . ailier
. . . équipe	. . . joueuse	. . . heure
. . . batailleur	. . . patineur	. . . période
. . . patinoire	. . . entraîneur	. . . équipement

b) Mettez au singulier les mots suivants.

ces hérissons	ces inconnues	ces accidents
ces éléphants	ces hôtesses	ces événements
ces oiseaux	ces ennemis	ces faits
ces hannetons	ces amoureux	ces manifestations

c) Employez *cet* **ou** *cette* **devant les mots suivants.**

haleine	hallucination	harpe
habit	hélicoptère	herbier
hameçon	hanche	haltérophile
hélice	harmonica	hémisphère

d) Quand écrit-on *cet* **devant un nom?**

CES . . . SES

OBSERVEZ BIEN LES PHRASES SUIVANTES.

1. Pierre compte ses sous.
2. Ces pays, Pierre les verra.

Quel est le mot qui désigne une chose possédée, *ses* ou *ces*?

3. L'ouvrier range ses outils après son travail.
4. L'ouvrier achètera-t-il ces outils?

Dans quelle phrase y a-t-il possession?

5. Le père s'occupe de ses enfants.
6. Le professeur enseignera à ces enfants.

Quel mot utilise-t-on pour marquer la possession, *ces* ou *ses*?

☆ RÈGLE

Ces est un déterminant démonstratif, pluriel de **ce, cet** ou **cette**.

Ex.: *L'ouvrier achètera-t-il **ces** outils (cet outil)?*

Ses est un déterminant possessif, pluriel de **son** et de **sa**.
On écrit **ses** lorsqu'on veut dire **les siens** ou **les siennes**.

Ex.: *L'ouvrier range **ses** outils (les siens).*

POUR APPLIQUER LA RÈGLE

a) Complétez ces phrases avec *ces* ou avec *ses*.

Elle met dans sa valise

. . . chandails
. . . chaussures
. . . chemisiers
. . . pyjamas

Elle n'aura jamais besoin de tous

. . . chandails
. . . pantalons
. . . chemisiers
. . . pyjamas

b) Mettez au pluriel les mots suivants.

cet appartement
son chalet
cette demeure
ce château
cet étage

sa maison
cette propriété
son logement
cet hôpital
sa case

c) **Mettez au singulier les mots suivants.**
ces valises
ses sacoches
ses paniers
ces bourses
ses sacs
ces portefeuilles

d) **Mettez au pluriel les phrases suivantes.**
1. Sa fille est au chômage.
2. Ce propriétaire est toujours fâché.
3. Cet élève travaille bien!
4. Cette fleur sent bon.
5. Sa dent est-elle arrachée?

e) **Quelle différence voyez-vous entre *ces* et *ses*?**

f) **Complétez les phrases suivantes avec *ces* ou avec *ses*.**
1. Le patron lui dit: «Il faut que . . . balais, . . . brosses et . . . seaux soient rangés.» Il a envie de lui dire . . . quatre vérités; mais il a besoin de ce travail pour payer . . . comptes et nourrir . . . enfants.
2. La voisine nous a dit qu'avant son départ elle devait vendre tous . . . bijoux, . . . livres et . . . objets de valeur. Nous avons vu tous . . . bijoux, . . . livres et . . . objets de valeur, mais nous n'avons rien acheté.

C'EST ... S'EST

◻ OBSERVEZ BIEN LES PHRASES SUIVANTES.

1. C'est défendu!
2. Il s'est défendu.

Quel est le sujet de chacune de ces phrases?

3. C'est la cour de récréation.
4. Paul s'est blessé dans la cour de récréation.

Pouvez-vous remplacer c' et s' par *ceci*?

5. Il reviendra, c'est promis.
6. Il s'est promis de revenir.

Pouvez-vous remplacer c' et s' par *ceci*?

☆ RÈGLE

Se ne s'écrit que dans les verbes pronominaux.
   Ex.: *se* blesser, *se* sauver, *se* coucher, *s'*habiller, etc.

En les conjuguant, on peut remplacer **se** par **me, te, nous, vous.**
Dans tous les autres cas, il faut écrire **ce** ou **c'**. Ce ou c' signifie **cela.**
   Ex.: *Il s'est promis de revenir (il m'a promis de revenir).*
      C'est promis (cela est promis).

POUR APPLIQUER LA RÈGLE

a) **Complétez les phrases suivantes en écrivant *c'est* ou *s'est* à l'endroit voulu.**
   1. Donna . . . levée très tôt ce matin.
   2. . . . l'après-midi que je travaille le mieux.
   3. Il a abandonné ce travail parce que . . . trop difficile.
   4. Elle . . . présentée à son rendez-vous.
   5. Je pars; . . . peu intéressant.
   6. Elle ne sait pas qu'elle . . . trompée.
   7. Croyez-vous que . . . bien là?
   8. . . . facile de blâmer les autres.
   9. Est-ce que . . . toujours possible?
   10. Il . . . dénoncé immédiatement.

b) Complétez les phrases suivantes en écrivant *c', ce, s'* ou *se* à l'endroit voulu.

1. . . . doit être l'été qui . . . termine.
2. Les feuilles . . . sont détachées.
3. Les oiseaux . . . sont enfuis et . . . est l'hiver qui . . . approche.
4. . . . est un lièvre qui . . . est caché dans les buissons.

c) Conjuguez les verbes suivants au passé composé et au plus-que-parfait.

s'asseoir   se laver   se servir

d) Composez cinq phrases sur le modèle suivant:
C'est Gina qui s'est cassé le bras.

e) Quelle différence voyez-vous entre *c'est* et *s'est*?

f) Complétez les phrases suivantes avec *c'est* ou *s'est*.

. . . arrivé hier. Une jeune femme . . . présentée au guichet de la banque voisine. Elle . . . penchée et . . . fait remettre dix mille dollars en disant: « . . . un vol.» Quelques minutes plus tard, la police . . . précipitée sur les lieux. Croyez-le ou non, la voleuse . . . fait prendre devant l'arrêt d'autobus, en face de la banque.

MAIS . . . MES

▊ OBSERVEZ BIEN LES PHRASES SUIVANTES.

1. J'aimerais aller au cinéma avec mes amis, mais j'ai la grippe.
2. Mes parents m'avaient permis de sortir, mais je vais rester à la maison.

☆ RÈGLE

Mais est une conjonction de coordination et peut être remplacé par **pourtant, cependant.**

Mes est un déterminant possessif et peut être remplacé par un autre déterminant tel que **ses, tes, nos, vos . . .** Il s'emploie devant un nom.

> **Ex.: *Mes** parents (tes parents) m'ont permis de sortir **mais** (pourtant) je vais rester à la maison.*

POUR APPLIQUER LA RÈGLE

a) **Complétez les phrases suivantes en écrivant *mais* ou *mes* à l'endroit voulu.**
   1. Il est intelligent . . . paresseux.
   2. J'apporterai . . . cahiers demain.
   3. . . . chaussures sont usées, . . . je les porte toujours.
   4. Elle est petite, . . . elle est très forte!
   5. Je te prête . . . crayons, . . . n'oublie pas de me les remettre.
   6. Paula irait jouer dehors, . . . il pleut!
   7. . . . amis viendraient, . . . il est trop tard.

b) **Écrivez au pluriel les expressions suivantes.**

ma cravate	mon cahier	ma règle
ma chemise	mon pupitre	ma serviette
ma soeur	mon professeur	ma bicyclette

c) **Quel est le pluriel de *mon* et de *ma*?**

d) **Quelle différence voyez-vous entre *mais* et *mes*?**

ON . . . ONT

OBSERVEZ BIEN LES PHRASES SUIVANTES.

1. **On** a pris l'avion pour la Floride le 18 février.
2. Nos parents **ont** pris l'avion le 15.
Lequel des deux (*on* ou *ont*) est un verbe?

3. On **a** bien aimé nos vacances.
4. Ils **ont** bien aimé leurs vacances.
Les verbes en caractères gras sont-ils au singulier ou au pluriel?

5. **On** a joué au tennis.
6. Les parents **ont** joué au golf.
Lequel des mots en caractères gras est un pronom indéfini singulier?

Lequel est le verbe avoir à la 3e personne du pluriel?

☆ RÈGLE

On est le pronom indéfini, masculin, singulier, toujours sujet du verbe. Il remplace **quelqu'un** ou **nous**.
Ont est le verbe **avoir** et peut être remplacé par **avaient**.

> **Ex.:** *On* a (*nous avons*) *pris l'avion le 18, nos parents l'*ont *(l'avaient) pris le 15.*

POUR APPLIQUER LA RÈGLE

a) Complétez les phrases suivantes en écrivant *on* ou *ont* à l'endroit voulu.
   1. Ils . . . travaillé fort, . . . a remarqué cela.
   2. Les bûcherons . . . coupé l'arbre.
   3. Les petits chats . . . le poil court.
   4. . . . s'est perdu quand . . . a quitté la route.
   5. Les élèves . . . fini cet exercice et . . . va les corriger.
   6. . . . pensera à toi et . . . préparera tout le repas.
   7. Quand . . . travaille bien, . . . est récompensé.

b) Complétez les phrases suivantes en écrivant *mon* ou *m'ont* à l'endroit voulu.
   1. Mes amis . . . rapporté . . . album.
   2. Mes camarades . . . remis . . . travail.
   3. Ces paysages . . . rappelé . . . village natal.

c) **Complétez les phrases suivantes en écrivant** *ton* **ou** *t'ont* **à l'endroit voulu.**
   1. Est-ce le cadeau qu'ils . . . donné à . . . anniversaire?
   2. Ils . . . vu sur . . . cheval.
   3. Tes parents . . . accueillie à . . . arrivée.

d) **Quelle différence voyez-vous entre** *on* **et** *ont*?

e) **Complétez les phrases suivantes avec** *on* **ou avec** *ont.*
   Hier, . . . a chanté des airs qui . . . été enregistrés sur une bobine qu' . . . vous fera écouter. Les airs n' . . . rien de nouveau; mais ils nous . . . apporté un grand plaisir qu' . . . n'aurait pas eu sans eux.

f) **Accordez le verbe qui est entre parenthèses.**
   On *(aller)* en canot demain et on *(profiter)* du beau temps annoncé. Heureusement, les moniteurs *(pouvoir)* repeindre les embarcations la semaine dernière. Ils *(faire)* du beau travail.

OBSERVEZ BIEN LES PHRASES SUIVANTES.

1. On allumait déjà les réverbères dans le parc.
2. On n'a pas remis la médaille à celui qui s'était présenté le premier au fil d'arrivée.
3. Audrey et Patrice n'ont-ils pas des amis communs avec lesquels ils partagent tout?
4. Les forces qui sont entrées en conflit ont provoqué la chute du régime.
5. On n'a plus les hivers qu'on avait.

☆ RÈGLE

On (n') est aussi un pronom indéfini, mais il est employé dans une phrase négative. **N'** . . . **(pas)** **(plus)** est une locution de négation, à ne pas confondre avec la liaison que l'on trouve entre **on** et un verbe commençant par une voyelle.

   Ex.: *On n'a plus les hivers qu'on avait.*

POUR APPLIQUER LA RÈGLE

Choisissez *on, on n'* ou *ont* pour compléter les phrases suivantes.

1. . . . -ils bien compris vos explications, madame?
2. Quelles femmes . . . été invitées à prononcer cette conférence sur le désarmement?
3. Certaines gens n' . . . jamais cru que la bombe atomique pouvait détruire l'humanité.
4. Vous regretterez ces paroles, a-t- . . . dit à Yannick et à Sylvette après que ces derniers eurent injurié trois importants invités au Salon de la culture.
5. . . . en peut plus, . . . veut moins de travail à la maison, monsieur.
6. . . . a que ce qu'on mérite, souvent.

SON . . . SONT

OBSERVEZ BIEN LES PHRASES SUIVANTES.

1. Son amie est haïtienne.
2. Ses parents sont en vacances.
3. Ils sont partis pour son chalet.
4. Ils sont enchantés de son accueil.

☆ RÈGLE

Son est un déterminant possessif et s'écrit devant un nom.
On peut le remplacer par un autre déterminant tel que **mon, ton, notre, votre** ou **ses** au pluriel.
Sont est le verbe **être** et peut se remplacer par **étaient**.
  Ex.: *Ils **sont** (étaient) partis pour **son** (mon) chalet.*

POUR APPLIQUER LA RÈGLE

a) **Complétez les phrases suivantes en écrivant** *son* **ou** *sont* **à l'endroit voulu.**
   1. Mes amis . . . heureux de sortir ensemble.
   2. Les pommes . . . mûres, il les met dans . . . panier.
   3. . . . travail terminé, elle endosse . . . manteau.
   4. Ces timbres . . . très rares!
   5. Les élèves . . . arrivés en retard.
   6. La fermière a semé . . . blé.
   7. Ses enfants . . . bien éduqués et ils . . . polis.

b) **Mettez les phrases suivantes au pluriel.**
   1. Son cours est fini.
   2. La classe est déserte.
   3. La porte est fermée.
   4. Son travail est rendu.
   5. Sa note est excellente.
   6. Son professeur est satisfait.

c) **Mettez les expressions suivantes au singulier.**

ses problèmes
ses maîtres
ses soeurs
ses histoires
ses outils

ses abeilles
ses habits
ses devoirs
ses crayons
ses chiens

d) Écrivez *son* ou bien *ils* ou *elles sont* devant les mots suivants.

. . . malades	. . . tombées	. . . parties
. . . timides	. . . automobile	. . . frère
. . . venus	. . . travail	
. . . train	. . . mortes	

e) Quelle différence voyez-vous entre *son* et *sont*?

f) En général, quels mots suivent *son* et *sont*?

ÇA ... SA

OBSERVEZ BIEN LES PHRASES SUIVANTES.

Colonne A
1. **Ça** va bien?
2. As-tu vu **ça**?
3. **Ça** me touche beaucoup.
4. **Ça**, j'en ai déjà mangé.

Colonne B
1. **Sa** mère va bien.
2. As-tu vu **sa** robe?
3. **Sa** gentillesse me touche beaucoup.
4. **Sa** tarte, j'en ai déjà mangé.

a) Que remarquez-vous sur l'orthographe des mots en caractères gras?
   Dans la colonne A, *ça* est-il accompagné d'un nom?
   Dans la colonne B, *sa* est-il accompagné d'un nom?
b) La prononciation vous aide-t-elle à bien les orthographier? Pourquoi?

OBSERVEZ BIEN LES PHRASES SUIVANTES.

Colonne A
1. **Ça** va bien?
2. As-tu vu **ça**?
3. **Ça** me touche beaucoup.
4. **Ça,** j'en ai déjà mangé.

Colonne B
1. Cela va bien.
2. As-tu vu cela?
3. Cela me touche beaucoup.
4. Cela, j'en ai déjà mangé.

a) Par quel mot de la colonne B a-t-on remplacé les mots en caractères gras?
b) Quelle sorte de mot est-ce?
c) Si vous pouvez remplacer *ça* par *cela,* que pouvez-vous conclure sur la nature du mot *ça*?
d) Comment l'écrirez-vous?

OBSERVEZ BIEN LES PHRASES SUIVANTES.

Colonne A
1. **Sa** mère va bien.
2. As-tu vu **sa** robe?
3. **Sa** gentillesse me touche beau-coup.
4. **Sa** tarte, j'en ai déjà mangé.

Colonne B
1. Ta mère va bien.
2. As-tu vu ta robe?
3. Ta gentillesse me touche beau-coup.
4. Ta tarte, j'en ai déjà mangé.

a) Par quel mot de la colonne B a-t-on remplacé les mots en caractères gras?
b) Quelle sorte de mot est-ce?
c) Si vous pouvez remplacer *sa* par *ma* ou *ta,* que pouvez-vous conclure sur la nature du mot *sa*?
d) Comment l'écrirez-vous?

☆ RÈGLE

On écrit **ça** quand il s'agit du pronom démonstratif et qu'on peut le remplacer par **cela.**

Ex.: *Ça (cela) le touche beaucoup.*

On écrit **sa** quand il s'agit de l'adjectif possessif et qu'on peut le remplacer par **ma** ou **ta.**

Ex.: *Sa (ma) gentillesse le touche beaucoup.*

POUR APPLIQUER LA RÈGLE

Écrivez correctement *ça* ou *sa*.
1. Je ne me plains pas de . . .
2. . . . mère nous rejoint-elle à midi?
3. Tu repeins . . . chambre.
4. Qui, aujourd'hui, se dévoue pour . . . ?
5. . . . leur fait peur.
6. . . . chevelure est trop longue.
7. . . . maison ressemblait à . . .
8. Je cherchais à comprendre . . .
9. Les frites sont plus dorées que . . . d'habitude.

LÀ . . . LA . . . L'A

▣ OBSERVEZ BIEN LES PHRASES SUIVANTES.

Colonne A
1. Montre-**la**-moi.
2. Prends-**la**.
3. Me **la** donnes-tu?
4. **La** conduis-tu?

Colonne B
1. Il me **l'a** montrée.
2. Il **l'a** prise.
3. Il me **l'a** donnée.
4. Il **l'a** conduite.

Colonne C
1. Je demeure **là**.
2. Il était **là**.
3. Nous l'avons mise **là**.
4. Conduis-moi **là**.

a) Que remarquez-vous sur l'orthographe des mots en caractères gras?
b) La prononciation vous aide-t-elle à écrire correctement ces mots? Pourquoi?
c) Dans les trois cas ci-dessus, quelle sorte de mot les mots en caractères gras accompagnent-ils?

▣ OBSERVEZ BIEN LES PHRASES SUIVANTES.

Colonne A
1. Montre-**la**-moi.
2. Prends-**la**.
3. Me **la** donnes-tu?
4. **La** conduis-tu?

Colonne B
1. Montre-le-moi.
2. Prends-le.
3. Me le donnes-tu?
4. Le conduis-tu?

a) Par quel mot de la colonne B a-t-on remplacé les mots en caractères gras?
b) Quelle sorte de mot est *le* quand il accompagne un verbe et non un nom?
c) Quelle conclusion pouvez-vous tirer sur la nature du mot *la* qui accompagne un verbe et non un nom et qui peut être remplacé par *le*?
d) Comment l'écrirez-vous?

▣ OBSERVEZ BIEN LES PHRASES SUIVANTES.

Colonne A
1. Il me **l'a** montrée.
2. Il **l'a** prise.
3. Il me **l'a** donnée.
4. Il **l'a** conduite.

Colonne B
1. Elle me l'avait montrée.
2. Elle l'avait prise.
3. Elle me l'avait donnée.
4. Elle l'avait conduite.

a) Par quels mots de la colonne B a-t-on remplacé les mots en caractères gras?
b) Quelles sortes de mots sont *l'* et *avait*?
c) Quelle conclusion pouvez-vous tirer sur la nature des mots *l'a* quand on peut les remplacer par *l'avait*?
d) Comment les écrirez-vous?

OBSERVEZ BIEN LES PHRASES SUIVANTES.

Colonne A
1. Je demeure **là**.
2. Elle était **là**.
3. Nous l'avons mise **là**.
4. Conduis-moi **là**.

Colonne B
1. Je demeure ici.
2. Elle était ici.
3. Nous l'avons mise ici.
4. Conduis-moi ici.

a) Par quel mot de la colonne B a-t-on remplacé les mots en caractères gras?

b) Quelle sorte de mot est-ce?

c) Quelle conclusion pouvez-vous tirer sur la nature du mot *là* quand il peut être remplacé par *ici*?

d) Comment l'écrirez-vous?

 RÈGLE

On écrit **la** quand il s'agit de l'article ou du pronom personnel et qu'on peut le remplacer par **une** ou par **le**.

Ex.: *Tu conduis la (une) voiture; la (le) conduis-tu?*

On écrit **l'a** quand il s'agit du pronom personnel et du verbe **avoir** et qu'on peut le remplacer par **l'avait**.

Ex.: *Elle l'a (l'avait) conduite.*

On écrit **là** quand il s'agit de l'adverbe et qu'on peut le remplacer par **ici**.

Ex.: *Conduis-moi là (ici).*

POUR APPLIQUER LA RÈGLE

a) Écrivez correctement *là, la* ou *l'a.*
1. . . . conduis-tu, cette voiture?
2. Ils étaient . . . dans le salon.
3. C'est à moi qu'il . . . annoncé.
4. Elle . . . très bien renseigné.
5. Laisse- . . . tomber.
6. Il . . . laissé tomber . . .
7. Le piège . . . saisi à . . . cheville.
8. Je . . . vois . . . -bas.
9. Il ne . . . pas trouvée puisqu'elle n'était pas . . .

b) Complétez les phrases suivantes avec *la* ou avec *l'a.*
Le sport qui . . . captive le plus est le tennis. Elle . . . pratiqué durant l'été et elle . . . apprécié à un tel point qu'elle . . . choisi comme activité scolaire.

OÙ . . . OU

☐ OBSERVEZ BIEN LES PHRASES SUIVANTES.

Colonne A
1. **Où** vais-je?
2. **Où** vas-tu?

3. Dis-moi **où** il est.
4. Au moment **où** j'ai compris, je suis partie.

Colonne B
1. Veux-tu le noir **ou** le blanc?
2. Tournes-tu à gauche **ou** à droite?
3. J'irai là-bas tôt **ou** tard.
4. Reviens aujourd'hui **ou** demain.

a) **Que remarquez-vous sur l'orthographe des mots en caractères gras?**
b) **La prononciation peut-elle vous aider à bien les orthographier? Pourquoi?**

☐ OBSERVEZ BIEN LES PHRASES SUIVANTES.

Colonne A
1. **Où** vais-je?
2. **Où** vas-tu?
3. Dis-moi **où** il est.
4. Au moment **où** j'ai compris, je suis partie.

Colonne B
1. À quel endroit vais-je aller?
2. À quel endroit vas-tu?
3. Dis-moi à quel endroit il est.
4. Quand j'ai compris, je suis partie.

a) **Quel est le sens de** *où* **dans la colonne A? (Regardez par quoi on l'a remplacé dans la colonne B.)**
b) **Quelle sorte de mot est-ce?**
c) **Quelle conclusion pouvez-vous tirer sur l'orthographe du mot** *où* **quand il est adverbe et qu'il indique l'endroit (ou le moment)?**

☐ OBSERVEZ BIEN LES PHRASES SUIVANTES.

Colonne A
1. Veux-tu le noir **ou** le blanc?

2. Tournes-tu à droite **ou** à gauche?
3. J'irai là-bas tôt **ou** tard.
4. Reviens aujourd'hui **ou** demain.

Colonne B
1. Veux-tu le noir ou bien le blanc?
2. Tournes-tu à droite ou bien à gauche?
3. J'irai là-bas tôt ou bien tard.
4. Reviens aujourd'hui ou bien demain.

a) **Quel est le sens de** *ou* **dans la première colonne? (Regardez par quoi on l'a remplacé dans la colonne B.)**
b) **Quelle sorte de mot est-ce?**
c) **Quelle conclusion pouvez-vous tirer sur l'orthographe de** *ou* **quand il est conjonction et qu'il veut dire** *ou bien***?**

☆ RÈGLE

On écrit **où** pour indiquer l'endroit et le moment. On peut remplacer **où** par **à quel endroit** ou par **quand**.
    Ex.: *Dis-moi où (à quel endroit) il est.*
        Au moment où (quand) j'ai compris, je suis partie.

On écrit **ou** pour indiquer le choix, l'alternative. On peut remplacer **ou** par **ou bien**.
    Ex.: *J'irai là-bas tôt ou (ou bien) tard.*

POUR APPLIQUER LA RÈGLE

a) **Écrivez correctement** *où* **ou bien** *ou***.**
    1. . . . veux-tu aller? À droite . . . à gauche?
    2. Veut-elle partir . . . rester?
    3. . . . emmenez-vous ces enfants?
    4. Qui de lui . . . de toi achètera le journal?
    5. Que tu sois là . . . ici, il te faudra travailler.
    6. Il est parti au moment . . . tu es entrée.
    7. . . . veut-il partir?
    8. D' . . . vient-elle? De Corée . . . du Laos?
    9. Au moment . . . je suis arrivée, il ne savait pas s'il devait partir . . . rester.

b) **Complétez les phrases suivantes avec** *où* **ou avec** *ou***.**
Dans le quartier . . . s'était déroulé l'incident, on se querellait . . . on se battait pour des riens. Le policier se rendit dans l'immeuble . . . ces gens demeuraient et exigea qu'ils partent . . . qu'ils fassent des excuses.

PEU . . . PEUX . . . PEUT

◻ OBSERVEZ BIEN LES PHRASES SUIVANTES.

Colonne A
1. Je **peux** réussir.
2. Tu **peux** réussir.
3. Mario **peut** réussir.
4. Elle **peut** réussir.

Colonne B
1. Il en fait **peu**.
2. Elle mange **peu**.
3. C'est **peu** intéressant.
4. C'est **peu** de chose.

a) Que remarquez-vous sur l'orthographe des mots en caractères gras?
b) La prononciation vous aide-t-elle à écrire correctement ces mots? Pourquoi?
c) Quel est le sens des mots en caractères gras dans la colonne A? Quelle sorte de mot est-ce?
d) Quel est le sens des mots en caractères gras dans la colonne B?
e) Quelle conclusion pouvez-vous tirer sur l'orthographe de ces mots?

◻ OBSERVEZ BIEN LES PHRASES SUIVANTES.

Colonne A
1. Je **peux** réussir.
2. Tu **peux** réussir.
3. C'est moi qui **peux** réussir.
4. C'est toi qui **peux** réussir.

Colonne B
1. Domenico **peut** réussir.
2. Elle **peut** réussir.
3. Janine **peut** réussir.
4. Il **peut** réussir.

Tous les mots en caractères gras ont le même sens.
a) Que remarquez-vous sur l'orthographe des mots en caractères gras:
      — dans la colonne A?
      — dans la colonne B?
b) Dans la colonne A, quel est le sujet de chacun des verbes?
c) À quelles personnes les verbes de la colonne A sont-ils conjugués?
d) Dans la colonne B, quel est le sujet de chacun des verbes?
e) À quelle personne les verbes de la colonne B sont-ils conjugués?
f) Quelle conclusion pouvez-vous tirer sur l'orthographe des mots en caractères gras quand il s'agit du verbe *pouvoir*?

☆ RÈGLE ─────────────────────────

On écrit **peu** quand le mot a le sens de **pas beaucoup.**
   Ex.: *Il en fait **peu**.*

On écrit **peux** quand il s'agit du verbe ***pouvoir*** à la 1re ou 2e personne du singulier.
   Ex.: *Je **peux** réussir, tu **peux** réussir.*

On écrit **peut** quand il s'agit du verbe **pouvoir** à la 3e personne du singulier.
   Ex.: *Il **peut** réussir.*

POUR APPLIQUER LA RÈGLE

Écrivez correctement *peu, peux* ou *peut.*
1. Elle ne . . . pas se rendre.
2. Je le connais très . . .
3. Se . . . -il que tu te sois trompée ?
4. Il en est . . . qui réussissent.
5. Je . . . le rencontrer dès maintenant.
6. Elle est . . . serviable.
7. Il est à . . . près dix heures.
8. Elle . . . rendre service.
9. . . . -tu m'accompagner ?
10. J'en ai pris très . . .

SÛR ... SUR

▢ OBSERVEZ BIEN LES PHRASES SUIVANTES.

Colonne A
1. Il est bien **sûr** de son opinion.
2. C'est un lien **sûr**.
3. Soyez-en **sûr**.
4. Marc est **sûr** d'avoir réussi.

Colonne B
1. Pose cet objet **sur** la table.
2. Je compte **sur** toi.
3. Il est monté **sur** le toit.
4. Vous êtes **sur** la bonne voie.

a) **Que remarquez-vous sur l'orthographe des mots en caractères gras ?**
b) **La prononciation vous aide-t-elle à orthographier ces mots ? Pourquoi ?**
c) **Quel est le sens des mots en caractères gras dans la colonne A ?**
d) **Quelle sorte de mot est-ce ?**
e) **Quel est le sens des mots en caractères gras dans la colonne B ?**
f) **Quelle sorte de mot est-ce ?**
g) **Quelle conclusion pouvez-vous tirer sur l'orthographe des mots en caractères gras, selon qu'ils sont adjectifs ou prépositions ?**

☆ RÈGLE

On écrit **sûr** quand il s'agit d'un adjectif qui a le sens de **certain**.
   Ex.: *Il est **sûr** de son opinion.*

On écrit **sur** quand il s'agit de la préposition qui introduit un complément de lieu.
   Ex.: *Vous êtes **sur** la bonne voie.*

POUR APPLIQUER LA RÈGLE

Écrivez correctement *sûr* ou *sur*.
1. Elle est tombée . . . la tête.
2. C'est . . . que nous viendrons.
3. Comment peut-on en être . . . ?
4. Puis-je compter . . . vous ?
5. Il m'a dit que cet endroit était . . .
6. C'est un homme . . . de lui.
7. J'ai vu un oiseau perché . . . une branche.
8. Mets un chapeau . . . ta tête.
9. Prends ce remède; il produit un effet . . .
10. Elle a juré . . . son honneur.

D'AVANTAGE ... DAVANTAGE

◻ OBSERVEZ BIEN LES PHRASES SUIVANTES.

1. Christelle aimerait avoir davantage d'informations.
2. Le directeur se rend compte que son poste ne manque pas d'avantages.

1. Ne retarde pas davantage ton départ.
2. Il n'y a pas d'avantage à remettre au lendemain.

1. Si tu aimes ce dessert, je peux t'en donner davantage.
2. Le Sud des États-Unis offre une foule d'avantages aux voyageurs.

☆ RÈGLE

On écrit **d'avantage(s)** quand on veut dire **quelque chose de profitable**. Il s'agit de l'article **des** ou de la préposition **de** suivi du nom **avantage**.
   Ex.: *Son poste ne manque pas **d'avantages**.*

On écrit **davantage** quand on veut dire **plus**. **Davantage** est alors un adverbe, donc invariable.
   Ex.: *Ne retarde pas **davantage** ton départ.*

POUR APPLIQUER LA RÈGLE

Complétez ces phrases avec *d'avantage(s)* ou avec *davantage*.

Dans ses mémoires, Agatha Christie écrit qu'elle s'intéressait ... à l'archéologie qu'aux intrigues policières. Elle estime que les recherches faites par son mari en Syrie faisaient ... pour un peuple que des romans policiers. Selon elle, les Syriens ont tiré plus ... des fouilles archéologiques que de n'importe quoi d'autre. Ces fouilles ont aidé à développer ... la fierté nationale tout en permettant à un grand nombre de tirer une foule ... des trouvailles mises à jour dans leur pays.

LEUR . . . LEURS

OBSERVEZ BIEN LES PHRASES SUIVANTES.

1. On **leur** a dit la vérité.
2. **Leurs** jours sont comptés.
3. **Leur** dernière heure est arrivée.
4. Les gardes **leur** ont lié les mains.
5. **Leurs** parents ont été prévenus.

Quelle sorte de mot suit toujours *leurs*?

1. Ils ont dit adieu à **leur** mère.
2. Ils ont dit adieu à **leurs** mères.

Quelle différence de sens voyez-vous entre ces deux phrases?

☆ RÈGLE

Leur est un pronom personnel complément d'objet indirect de la 3e personne du pluriel. Il a alors le sens de **à eux, à elles** et il est invariable. On peut le remplacer par **lui**.

   Ex.: *On **leur** (lui) a dit la vérité.*

Leur / leurs est un adjectif ou pronom possessif des deux genres se rapportant à plusieurs possesseurs. Il a alors le sens de **qui est (sont) à eux, à elles** et il s'accorde avec le nom qui suit.

On peut le remplacer par **son, sa** ou **ses**.

   Ex.: *Leurs (ses) jours sont comptés.*
       Leur (sa) dernière heure est arrivée.

POUR APPLIQUER LA RÈGLE

Complétez ces phrases avec *leur* ou avec *leurs*.

    . . . outils avaient disparu. Il . . . était impossible de savoir qui avait osé faire un tel coup. Jamais, il ne . . . était arrivé une aventure semblable. Qu'allaient-ils faire de . . . mains et de . . . bonne volonté?

PRÈS ... PRÊT

 OBSERVEZ BIEN LES PHRASES SUIVANTES.

1. Jean était **près** de ses sous.
2. Il est **prêt** à le reconnaître.
3. Tout le monde était **prêt** à partir.
4. La bombe explosa **près** de lui.

Lequel des deux mots en caractères gras peut se mettre au féminin?

☆ RÈGLE

On écrit **près** quand il s'agit d'un adverbe ou d'une locution prépositive qui a le sens de **proche**.

   Ex.: *Jean était **près** (proche) de ses sous.*

On écrit **prêt** quand il s'agit d'un adjectif qui a le sens de **disposé, préparé**.

   Ex.: *Il est **prêt** (disposé) à le reconnaître.*

POUR APPLIQUER LA RÈGLE

Complétez les phrases avec *près* ou avec *prêt*.

   Le repas est ... La grand-mère, assise ... de la fenêtre, s'avance lentement vers sa chaise. Déjà son petit-fils se tient ... d'elle ... à l'aider si le besoin s'en fait sentir.

PLUTÔT . . . PLUS TÔT

☐ OBSERVEZ BIEN LES PHRASES SUIVANTES.

1. Souris plutôt que de te plaindre.
2. Lève-toi plus tôt.
3. Plutôt que de sévir, récompense.
4. Il fait plutôt chaud.
5. Le printemps est arrivé plus tôt que prévu.

☆ RÈGLE

Plutôt écrit en un seul mot peut être remplacé par **au lieu de**.
   Ex.: *Souris **plutôt** que de (au lieu de) te plaindre.*

Plus tôt écrit en deux mots signifie **plus de bonne heure.**
   Ex.: *Lève-toi **plus tôt** (plus de bonne heure).*

POUR APPLIQUER LA RÈGLE

Complétez les phrases suivantes avec *plutôt* ou avec *plus tôt*.
   Les vacances sont arrivées . . . que je ne l'espérais. Cette année, . . . que d'aller aux États-Unis, je visiterai le Québec. Comme cela, je dépenserai mon argent chez nous . . . que dans un pays étranger. Je ne reviendrai probablement pas à la maison . . . que d'habitude, mais je serai content de moi.

AUSSITÔT . . . AUSSI TÔT

▮ OBSERVEZ BIEN LES PHRASES SUIVANTES.

1. Natacha n'était jamais arrivée aussi tôt à l'école.
2. André décide aussitôt de partir en vacances.
3. Nelson nous quitta aussi tôt parce qu'il était fâché.
4. Anne étudiait plus aussitôt qu'elle voyait ses notes baisser.
5. On ne s'attendait pas à ce qu'il prenne une décision aussi tôt.
6. Devant l'enquêteur, Louise parla aussitôt.

☆ RÈGLE

Aussitôt écrit en un seul mot signifie **au moment même**.
   Ex.: *Il décide **aussitôt** (au moment même) de partir en vacances.*

Aussi tôt écrit en deux mots signifie **de si bonne heure** ou le contraire de **aussi tard**.
   Ex.: *Elle n'était jamais arrivée **aussi tôt** (de si bonne heure).*

POUR APPLIQUER LA RÈGLE

Complétez les phrases suivantes avec *aussitôt* ou avec *aussi tôt*.

   . . . que le printemps arrivera, tu perdras le goût de demeurer à la maison le soir. Tes parents comprendront . . . ce changement dans tes habitudes et ils accepteront que tu ne te mettes pas au travail . . . que durant l'hiver. Cependant, même si le soir tu ne rentres pas . . . à la maison, tu devras malgré tout te mettre . . . au travail.

SANS . . . S'EN

1. Des gens défavorisés, on s'en préoccupe peu souvent.
2. On le fait sans méchanceté.
3. Le nombre de personnes sans emploi s'accroît de jour en jour.
4. Avec la crise, il est difficile de s'en sortir.

☆ RÈGLE

Sans est une préposition qui exprime **l'absence, le manque, la privation** ou **l'exclusion. Sans** est toujours suivi d'un complément. On peut le remplacer par **avec.**

    Ex.: *On le fait **sans** (avec) méchanceté.*

S'en peut être remplacé par **de cela, de là. S'en** est toujours placé devant un verbe.

    Ex.: *Il est difficile de **s'en** sortir (de sortir de cela).*

POUR APPLIQUER LA RÈGLE

Complétez les phrases suivantes avec *sans* ou avec *s'en*.

Tout le monde . . . est rendu compte: il est impossible de vivre . . . argent. On a essayé . . . cesse de . . . procurer en faisant appel à la charité des gens: . . . aucun résultat. Les gens . . . moquent éperdument.

DANS . . . D'EN

1. C'est dans une ruelle qu'elle a retrouvé sa voiture.
2. Le vol a eu lieu dans l'après-midi.
3. Elle venait juste d'en informer la police.
4. C'est écrit dans le journal.
5. Elle est surprise d'en entendre parler.
6. Ce ne sera pas facile d'en sortir.

★ RÈGLE

Dans est une préposition qui signifie **à l'intérieur de, au milieu de, pendant, lors de. Dans** est toujours suivi d'un complément.

> **Ex.:** *C'est **dans** (au milieu d') une ruelle qu'elle a retrouvé sa voiture.*
>
> *Le vol a eu lieu **dans** (pendant) l'après-midi.*

D'en peut être remplacé par **de cela, de là. D'en** est toujours placé devant un verbe.

> **Ex.:** *Elle est surprise **d'en** entendre parler (d'entendre parler de cela).*
>
> *Ce ne sera pas facile **d'en** sortir (de sortir de là).*

POUR APPLIQUER LA RÈGLE

Complétez les phrases suivantes avec *dans* ou avec *d'en*.

. . . le pays, on ne cessait . . . entendre parler. On chuchotait . . . les salons que le notaire venait . . . acheter pour dix mille dollars et qu'il conseillait . . . acquérir . . . les mois à venir.

DONC . . . DONT

OBSERVEZ BIEN LES PHRASES SUIVANTES.

1. Pour ses vacances d'hiver, le Québécois choisit un pays dont le climat est chaud.
2. C'est lui dont j'ai vu la photographie dans *La Tribune*.
3. Les herbes dont elle raffole poussent dans son potager.
4. Vous le connaissez donc!
5. Voilà donc la vérité!
6. Les parents et amis vietnamiens dont Duc se souvient sont peut-être immigrés quelque part eux aussi.
7. Le chêne dont ma table est faite est veiné de rouge foncé.
8. Je pense donc je suis.
9. Elle a refusé, il est donc inutile d'insister.
10. Ils ne s'occupaient que des enfants dont ils étaient responsables.

☆ RÈGLE

Dont est un pronom relatif qui contient la préposition *de*. Il s'emploie comme complément d'un verbe pour indiquer l'origine, l'agent, la cause, la manière. Il s'emploie aussi comme complément d'un nom ou d'un pronom. Il s'emploie enfin comme complément d'un adjectif.

Dont, pronom relatif, se remplace dans la phrase par **de qui, de quoi, duquel, de laquelle, desquels, desquelles**...

> **Ex.:** *Les enfants **dont** (desquels) ils étaient responsables.*
> *Le chêne **dont** (de quoi) ma table est faite.*

Donc est une conjonction qui se prononce [dɔ̃k] en tête de proposition ou devant une voyelle et [dɔ̃] ailleurs. Il peut être remplacé dans la phrase par **alors, par conséquent, par suite, ainsi**; il marque la conséquence ou renforce une interrogation.

> **Ex.:** *Je pense **donc** (par conséquent) je suis.*
> *Voilà **donc** la vérité! (Ainsi voilà la vérité!)*

POUR APPLIQUER LA RÈGLE

Rédigez dix phrases, cinq avec *dont* et cinq avec *donc*, et justifiez dans chacun des cas l'usage que vous faites de l'un ou l'autre [dɔ̃].

QUAND ... QUANT ... QU'EN

□ LISEZ ATTENTIVEMENT LE TEXTE SUIVANT.

Un cinéma de qualité

Quand je vais au cinéma, en semaine autant qu'en fin de semaine, j'ai toujours l'air, quant à moi, un petit peu désabusé! Je me dis souvent: à quand un film respectable, un film qu'en quittant le cinéma je ne regrette pas d'avoir vu!

Ma soeur, quant à elle, une enragée du septième art, me reproche ma recherche de l'insolite et de l'extraordinaire, voire du grandiose, au cinéma! «Qu'en pensent tes amis, me réplique-t-elle quand je lui fais part de mes commentaires critiques, sont-ils tous du même avis que toi?» «Je n'ai qu'en faire de l'opinion de mes amis», lui ai-je souvent répondu! Quand ils vont au cinéma, c'est pour passer le temps, pas pour s'évader ou chercher le beau. Quand même, quand même! Si ma soeur voulait comprendre qu'en appréciant ce genre de cinéma qui fait pleurer elle ne retire rien et n'aide pas non plus les cinéphiles qui désirent plus que des histoires à l'eau de rose! Mais non! Quant à elle, je ne suis qu'un intellectuel à la manque. Et quand elle s'y met, quand elle me tombe dessus, je n'ai qu'une solution: en rire!

Mes amis, quant à eux, pensent comme ma soeur, bien sûr. Ils ne vont au cinéma qu'en désespoir de cause. La plupart du temps, ils préfèrent les discothèques, les rencontres sociales, les discussions qui n'en finissent plus. Avec eux, je reste sur ma faim de mordu!

Ah! mais j'ai une idée: je vais écrire une lettre d'opinion dans un journal national. J'ai déjà un titre de trouvé: À quand un cinéma de qualité? Alors, qu'en dites-vous, quant à vous?

Relevez tous les *quand, quant* et *qu'en* paraissant dans ce texte et justifiez l'orthographe de chacun d'eux.

Vous avez sans doute noté qu'il y a plusieurs graphies possibles des mots que vous avez relevés.

RÈGLE

Quand est une conjonction de subordination (introduisant une proposition subordonnée de temps) qui signifie **au moment où**; on peut le remplacer dans la phrase par **lorsque**.

> **Ex.:** *Quand (lorsqu') ils vont au cinéma, c'est pour passer le temps.*

Quand même exprime l'opposition, la concession; l'expression peut être remplacée par **malgré tout** dans la phrase.

> **Ex.:** *Ils choisissent **quand même** (malgré tout) les meilleurs films.*

Quand est un adverbe dans une phrase interrogative; il signifie: **à quel moment, à quelle époque**.

> **Ex.:** *Quand (à quel moment) irons-nous au cinéma ensemble?*

Qu'en est mis pour **que en** et peut être remplacé par **que... de cela**.

> **Ex.:** *Qu'en penses-tu? (Que penses-tu de cela?)*

Ne...qu'en signifie **seulement**.

> **Ex.:** *Elle ne travaille qu'en musique (seulement en musique).*

Quant à est une locution prépositive qui peut être remplacée dans la phrase par **pour (ma) part, en ce qui (me) concerne, pour ce qui est**, etc.

> **Ex.:** *Quant à moi (pour ma part), je préfère la télévision.*

POUR APPLIQUER LA RÈGLE

Complétez les phrases suivantes avec *quand, quant* ou *qu'en*.

1. Ce n'est . . . approchant qu'elle reconnut son propre frère.
2. . . . tu seras prêt à partir, n'oublie . . . même pas de nous prévenir.
3. . . . à ma mère, elle préfère rire de mes mésaventures plutôt . . . pleurer.
4. Elle n'avait peur ni des commérages ni du . . . -dira-t-on.
5. Il faut, . . . on lit un article de journal, tant en classe . . . tout autre endroit, un peu de calme: . . . pensez-vous?
6. Si ce n'était . . . faisant cela je me mets à dos tout le monde, je vous assure que je le ferais!
7. À . . . les vacances, que je puisse enfin me reposer!

PARCE QUE . . . PAR CE QUE

Un faux témoin

Parce que Judith n'avait pas dit tout ce qu'elle savait, à son retour de Grèce, sur le drame qu'ont vécu deux de ses meilleures amies emprisonnées là-bas, les policiers d'ici ont décidé de la prendre en filature.

Mais Judith, par ce qu'elle savait, ne pouvait être d'aucune utilité. Elle l'avait bien dit, quand on l'avait interrogée, qu'elle ignorait ce qui s'était passé. On ne l'a pas crue! Par ce qu'elle avait révélé, en effet, à l'un des passagers de l'avion, et parce que ce dernier était un policier en civil qui en avait parlé dès son arrivée à Mirabel, Judith était devenue un témoin privilégié pour les policiers d'ici dont l'enquête n'avançait plus.

Chaque jour, pendant trois semaines de suite, Judith s'aperçut qu'on la suivait et, elle l'apprit par ce que lui en dit l'une de ses compagnes de bureau, qu'on l'espionnait d'une fenêtre de l'immeuble voisin.

Elle en fut choquée, bien sûr, parce que cela surprend toujours, quand on a la conscience en paix, de voir qu'on est l'objet d'une filature continue. Après qu'elle eut donné rendez-vous à son avocat et que ce dernier lui eut expliqué à quoi rimait le manège des policiers lancés à ses trousses, elle comprit, par ce que son avocat lui en dit, qu'elle-même n'était pas soupçonnée. On escomptait plutôt, par elle, arriver aux vrais coupables. Elle servait d'appât, en quelque sorte, et il n'y avait qu'un moyen pour échapper à ceux qui la suivaient: s'adresser au tribunal.

C'est ce qu'elle fit, parce qu'elle n'appréciait pas servir de proie. Le juge obligea les policiers à cesser leur harcèlement.

Le lendemain matin, Judith était disparue sans laisser de trace.

Et, par ce que les journaux ont révélé de l'affaire depuis, ses deux amies croupissent toujours dans une geôle de Grèce, l'affaire n'ayant pas progressé depuis la disparition de Judith.

Relevez tous les *parce que* et *par ce que* paraissant dans ce texte et justifiez l'orthographe de chacun d'eux.

Vous avez sans doute noté qu'il y a deux graphies possibles des mots que vous avez relevés.

☆ RÈGLE

Parce que s'écrit en deux mots quand il peut être remplacé par **car, comme, vu que**. Il est alors conjonction de subordination.

> **Ex.:** *Je connais cette affaire **parce que** (vu que) les journaux en ont parlé.*

Par ce que s'écrit en trois mots quand il peut être remplacé par **par tout ce que** ou **par les choses que**. Il s'agit alors d'une expression constituée d'une préposition, d'un pronom démonstratif et d'un pronom relatif.

> **Ex.:** *Je connais cette affaire **par ce que** (par tout ce que) les journaux en ont dit.*

POUR APPLIQUER LA RÈGLE

a) **Choisissez *parce que* ou *par ce que* pour compléter les phrases suivantes.**
   1. Cécilia et Robert ne veulent pas paraître en moyen . . . ils craignent le percepteur d'impôt.
   2. Soui Ling, . . . elle dit et fait, semble plus adulte que bien des gens de son âge.
   3. Gonzales et son ami Pedro sont excités . . . ils ont gagné un voyage au Mexique.
   4. La ville de Montréal, . . . elle offre aux touristes, est un endroit recherché par les étrangers de passage.
   5. C'est . . . l'on dit et fait qu'on est jugé normalement.
   6. . . . mon frère a avoué avoir fait, je reconnais n'être pas à l'aise quand je parle de lui.
   7. C'est . . . on rit que la vie est belle souvent.
   8. Max Gros-Louis est un Huron bien connu au Québec . . . il représente les siens dans toutes les affaires publiques qui les concernent.

b) **Composez trois phrases dans lesquelles vous emploierez l'expression causale *parce que*.**

c) **Composez trois phrases dans lesquelles vous emploierez l'expression *par ce que*, qui peut exprimer l'agent, le moyen ou l'instrument.**

QUOIQUE . . . QUOI QUE

À la bonne école

Quoi qu'en disent certains élèves, l'école d'aujourd'hui sert à former les jeunes qui, demain, assureront la relève, dans tous les domaines de l'activité humaine.

Quoi qu'on dise de cette école, par ailleurs, et quoiqu'on la dénigre dans bien des milieux, il est sûr que l'étude qu'on y fait des matières traditionnelles et nouvelles prépare adéquatement la majorité des jeunes à voir l'avenir avec optimisme.

Regardez attentivement autour de vous. Quoique l'on dise que l'école ne vaut plus rien, quoique l'on soit souvent intolérant dans les jugements que l'on porte sur elle, quoique l'on parle avec nostalgie de l'école d'autrefois — qui n'a jamais formé que l'élite quand on y pense bien —, eh bien! rien n'y fait: l'école continue sa mission, indifférente à tous ces esprits qui ne jurent que par ce qu'ils ont connu. Pourquoi? Parce que l'école évolue, au rythme de celles et ceux qui la fréquentent, au rythme aussi des nouvelles technologies et découvertes de l'époque contemporaine.

L'école du passé, quoiqu'on soit fier d'en parler, d'en énumérer les bienfaits même, n'a pas sa place dans la société actuelle . . . à moins que l'on désire revenir en arrière et laisser pour compte tous ceux et celles qui, jadis, incapables de faire le même apprentissage que les autres, étaient abandonnés sur la voie de garage.

Rien de pareil aujourd'hui! Chaque élève est considéré, quoi qu'on en pense et quoiqu'il n'y paraisse pas toujours, comme un rouage important de l'école. Plus question d'abandonner l'un au profit de l'autre, au seul profit de l'autre. Plutôt, un cheminement en parallèle, avec, au besoin, des conditions d'apprentissage particulières pour certains.

Est-ce alors une école dont la vocation est ratée?

Relevez les *quoique* et *quoi que* paraissant dans ce texte et justifiez l'orthographe de chacun d'eux.

Vous avez sans doute noté qu'il y a deux graphies possibles des mots que vous avez relevés.

RÈGLE

Quoi que s'écrit en deux mots quand il peut être remplacé par **quelle que soit la chose que (quelles que soient les choses que)** ou par **n'importe quelle(s) chose(s) que.** C'est une locution pronominale indéfinie.

> **Ex.:** *Quoi qu'en disent certains (quelles que soient les choses que disent certains), l'école d'aujourd'hui se porte bien.*

Quoique s'écrit en un seul mot quand il peut être remplacé par **bien que** ou **encore que.** C'est alors une conjonction de subordination.

> **Ex.:** *Quoique (bien que) certains la critiquent ouvertement, l'école d'aujourd'hui se porte bien.*

POUR APPLIQUER LA RÈGLE

a) Choisissez *quoiqu(e)* **ou** *quoi qu(e)* **pour compléter les phrases suivantes.**

1. . . . il arrive, je serai satisfaite de vous avoir rencontré.
2. . . . on ne le sache pas partout, c'est une femme, Marguerite Belley, qui a fondé Jonquière.
3. À l'ermitage de Saint-Benoît-du-Lac, dans les Cantons-de-l'Est, on doit garder silence dans le monastère en tout temps, en signe de recueillement, . . . pensent ou disent certains des visiteurs de passage.
4. Je ne réussis plus à faire . . . ce soit.
5. Agatha Christie, . . . elle ait écrit, roman, nouvelle ou pièce de théâtre, a toujours connu le succès.
6. Anna de Noailles, . . . elle soit une grande poétesse, demeure une inconnue pour la majorité des gens.
7. . . . aient fait les Iroquois autrefois, il est reconnu aujourd'hui qu'ils n'ont fait que défendre leurs droits.
8. Il y a fort à parier, . . . tous ne seront pas d'accord, que les femmes seront bientôt les dirigeantes de plusieurs pays.

b) Composez trois phrases dans lesquelles vous emploierez le mot *quoique.*

c) Composez trois phrases dans lesquelles vous emploierez la locution *quoi que.*

QUELLE . . . QU'ELLE

Les canards de Bettina

«Quelle mésaventure!» se dit Bettina en revenant de la chasse. «J'ai hâte d'en parler à tout le monde.»

Bettina était partie la veille, son baluchon à l'épaule, sa carabine à la main. Elle savait qu'elle s'en allait pour une journée au moins. À sa mère qui lui avait conseillé d'être prudente, elle avait répondu qu'elle l'était de nature et qu'elle n'avait pas à s'inquiéter. Avec les appâts qu'elle apportait, les canards n'avaient qu'à se bien tenir.

Une fois arrivée au chalet de son père, Bettina sut qu'elle ferait une bonne chasse. Les canards, tout près, faisaient un bruit d'enfer qu'elle reconnaissait et qu'elle fut heureuse d'entendre. Quelle joie, pensa-t-elle, d'écouter ce babillage, j'aurai du plaisir à tirer. Non, ne craignez pas: Bettina n'était pas une chasseresse méchante. Mais elle abhorrait revenir bredouille quand elle allait chasser.

Après qu'elle se fut restaurée quelque peu, Bettina se mit en quête de son gibier. Dos au vent, elle se rendit le plus près possible des canards qu'elle voulait tirer et se trouva une cache, dans les hautes herbes, qu'elle trouva fort avenante.

Puis ce fut le premier coup. Raté! Les canards, dérangés par ce tonnerre nouveau, s'envolèrent tous. Frustrée par son échec, Bettina se dit qu'elle se reprendrait, ce qu'elle fit quelques minutes plus tard, au retour des canards. La journée fut remplie et les canards qu'elle mit dans sa besace, à la fin du jour, la rendirent heureuse.

De retour au chalet, elle déposa la besace à la porte et, après qu'elle fut entrée, se mit à ranger ce qu'elle avait déplacé. Une heure plus tard, quand tout fut en ordre, elle sortie et, furieuse, elle découvrit que sa besace était là, les proies grasses en moins.

Elle se demanda alors ce qui s'était passé. Elle nota, dans l'allée en broussaille, l'empreinte de plusieurs pieds. Regardant au loin, elle vit une queue familière qui se balançait dans un talus: un renard! Le mal était fait. Elle en serait quitte pour parler d'une chasse fructueuse, sous tous les quolibets qu'elle imaginait déjà, parce qu'elle n'aurait rien pour prouver ce qu'elle avançait.

Quelle chasse! Puis, après tout, peut-être que le renard avait plus besoin de ces canards qu'elle!

Relevez tous les *quelle(s)* et *qu'elle(s)* paraissant dans ce texte et justifiez l'orthographe de chacun d'eux.

Vous avez sans doute noté qu'il y a plusieurs graphies possibles des mots que vous avez relevés.

 ## RÈGLE

Quel (quels) ou **quelle (quelles)**, en un seul mot, est un adjectif exclamatif ou interrogatif qui s'accorde en genre et en nombre avec le nom qu'il détermine.

> **Ex.:** *Quel plaisir! Quelle joie!*
> *De **quelles** aventures parlez-vous? De **quels** exploits?*

Qu'elle(s) s'écrit en deux mots quand on peut le remplacer par **qu'il(s)** sans changer le sens de la phrase. Il s'agit alors d'une conjonction et d'un pronom personnel, ou d'un pronom relatif et d'un pronom personnel. Pour les distinguer, il suffit de voir si le mot précédant **qu'** est un nom (pronom relatif) ou un verbe (conjonction).

> **Ex.:** *Elle m'a raconté l'aventure **qu'elle** (qu'il) a vécue (qu' = conjonction).*

Qu'elle peut être aussi l'expression d'un degré de comparaison quand on peut le remplacer par **que lui**.

> **Ex.:** *Personne n'était plus heureux **qu'elle** (que lui).*

POUR APPLIQUER LA RÈGLE

a) Choisissez *quelle(s)* ou *qu'elle(s)*, pour compléter les phrases suivantes.

1. . . . belle journée, s'exclama Sylvain en pointant son nez au dehors. . . . randonnée à bicyclette je vais faire!
2. Il faut . . . parte aujourd'hui même si elle veut arriver à temps.
3. Katerina était moins belle . . ., disait Juan à Hélène.
4. La secrétaire était si enragée . . . se mit à taper le texte qu'elle recopiait avec dépit.
5. Les choses . . . dit faire, Josée ne les fait pas toujours de bonne grâce.
6. À la suite de ce . . . a appelé un quiproquo, Anne-Marie s'est présentée deux jours trop tôt à un rendez-vous important.
7. Il faut . . . comprennent, ces petites, . . . ont tout à gagner à étudier le soir ce . . . apprennent chaque jour à l'école.
8. Il paraît qu'Isabel ne se doutait pas . . . serait fêtée parce . . . était la préférée de tous ses camarades de cours.

b) Composez trois phrases dans lesquelles vous emploierez le mot *quel, quels, quelle* ou *quelles*.

c) Composez trois phrases dans lesquelles vous emploierez l'expression *qu'elle* ou *qu'elles*.

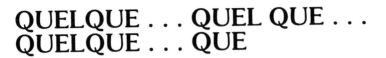

QUELQUE . . . QUEL QUE . . .
QUELQUE . . . QUE

LISEZ ATTENTIVEMENT LE TEXTE SUIVANT.

La lecture

Quels que soient les livres que vous lisiez, dans quelque lieu que vous soyez pour le faire, ayez toujours en tête qu'un livre, c'est un ami, donc quelque chose de sacré.

Rien, en effet, ne vous apprend plus qu'un livre. Quel qu'en soit l'auteur, un livre raconte plus en quelques pages que ne le fait le meilleur des maîtres en quelques jours.

Dans un livre, c'est tout l'univers, en quelque sorte, qui vous est accessible. Vous découvrez que les humains, dans quelque partie de l'univers qu'ils soient, ont des comportements semblables, à quelques coutumes ou conditions de vie près. Quelque invraisemblables que paraissent certains récits que vous lisez, n'oubliez pas que tout est possible dans ce monde et qu'il ne faut vous surprendre de rien.

En quelque deux cents pages, vous vous en rendez compte, on vous raconte une tranche de vie ou on vous fait entrevoir un autre siècle, pour vous émerveiller ou vous émouvoir. Quels que soient les héros du livre, vous vous laissez emporter et vous rêvez. Quelque bizarre que soit l'histoire racontée, quelle qu'en soit l'origine ou la fin, vous en sortez plus instruit et plus expérimenté.

Quelques bons arguments que vous ayez pour éviter de lire, allez, laissez-vous tenter!

Relevez tous les *quelque(s), quel(s) que, quelle(s) que* et *quelque(s)* . . . *que* paraissant dans ce texte et justifiez l'orthographe de chacun d'eux.

Vous avez sans doute noté qu'il y a plusieurs graphies possibles des mots que vous avez relevés.

☆ RÈGLE

Quelque s'écrit en un seul mot et est adjectif indéfini quand il signifie **plusieurs** (il est alors au pluriel) ou **certain** (il est alors au singulier).

Ex.: *Quelques* personnes *(plusieurs personnes) auraient encore* **quelque** *courage (un certain courage).*

Quel que (quels que) ou **quelle que (quelles que)** s'écrit en deux mots quand il est suivi du verbe **être, devoir** ou **pouvoir,** au subjonctif. **Quel que (soit)** a alors le sens de **peu importe.** Le mot **quel** est un attribut, dans ce cas, et s'accorde en genre et en nombre avec le sujet du verbe.

Ex.: *Quels que soient les livres que vous lisiez (peu importe les livres que...).*

Quelque s'écrit en un seul mot et est invariable quand il a le sens d'**environ.** Dans ce cas, il précède un adjectif numéral (*dix, vingt, trente, cent,* etc.) et est considéré comme un adverbe.

Ex.: *Ce livre dit tout en* **quelque** *deux cents pages (en environ deux cents pages).*

Quelque . . . que, séparé par un adjectif, est invariable. **Quelque** a alors le sens de **si.**

Ex.: *Quelque rapides que soient ces marathoniennes (si rapides que soient . . .).*

S'il accompagne un nom, il est variable et a le sens de **n'importe quel (quels, quelle, quelles).**

Ex.: *Quelques bontés* **que** *vous ayez pour les pauvres (n'importe quelles bontés . . .).*

POUR APPLIQUER LA RÈGLE

a) **Choisissez** *quelque(s), quel(s) que, quelle(s) que* **ou** *quelque(s) . . . que* **pour compléter les phrases suivantes.**

1. . . . doivent être les résultats de son enquête, Hercule Poirot n'abandonne jamais une affaire.
2. Si vous venez me rencontrer dans . . . semaines, je pourrai alors vous dire ce qu'il en est de votre requête.

3. Certaines agences de voyages connues ont ... intérêt à s'occuper mieux des clients qui leur font confiance. Il y a ... temps, mon fils Samorn a vécu une expérience fort désagréable avec l'une d'entre elles quand on a omis de lui dire de se procurer un visa alors qu'il voulait passer ... cinq semaines dans son pays natal.

4. ... brèves ... soient les journées de vacances, il vaut la peine de les prendre et d'en profiter chaque année.

5. Il y a ... années de cela, j'ai passé ... six semaines en France, invité par le gouvernement de ce pays.

6. ... soit l'objet de votre demande, je me ferai un plaisir de vous satisfaire dans les plus brefs délais.

7. ... nombreuses ... soient les occasions de rire, on trouve toujours que la vie est trop sérieuse.

8. Dans ... endroit que vous vous trouviez, dites-vous que vous représentez, pour la plupart des gens, le pays d'où vous venez.

b) **Composez trois phrases dans lesquelles vous emploierez le mot _quelque_ en un seul mot.**

c) **Composez trois phrases dans lesquelles vous emploierez l'expression _quel que_ (au masculin pluriel, au féminin singulier et pluriel).**

d) **Composez trois phrases dans lesquelles vous emploierez l'expression _quelque ... que_.**

QUELQUEFOIS . . .
QUELQUES FOIS

■ LISEZ ATTENTIVEMENT LE TEXTE SUIVANT.

Une bonne famille

La famille Lacasse est une famille à part des autres. Quelques fois par semaine, elle se rend au restaurant et mange de bon appétit ce qu'il y a au menu. Les enfants, qui sont turbulents quelquefois, sont alors sages comme des images, comme si c'était une récompense pour eux de se retrouver là.

Quelquefois, le menu offert ne plaît pas à l'un d'eux. Il en avertit ses parents. Si ces derniers sont du même avis, ce qui arrive quelquefois, alors il y a commande à la carte. Cela fait l'affaire de celui ou de celle qui obtient ce privilège, mais, quelques fois, cela cause des désagréments parce que les autres, qui n'ont pas la même chance, deviennent un peu envieux.

Madame Lacasse, quelquefois, doit choisir elle-même le menu à la carte, pour éviter la dispute. Monsieur Lacasse, pour sa part, ne se soucie guère de ces petites discussions entre frères et sœurs. Quelquefois, il semble s'intéresser à la conversation, mais il ne s'en mêle pas. Et l'affaire se règle toujours au mieux.

Les Lacasse sont aussi une famille de sportifs. Quelques fois par semaine, chacun se rend au court de tennis de la ville pour des matchs amicaux. Quelques fois par été, c'est le golf qui réunit parents et enfants: à six, ils ont quelquefois beaucoup de plaisir à entrer en compétition . . . surtout quand les parents mettent au jeu quelques dollars pour le vainqueur.

En fait, les Lacasse, c'est une famille comme il ne s'en fait plus ou, s'il s'en fait quelquefois, qui devient de plus en plus rare.

Relevez tous les *quelquefois* et *quelques fois* paraissant dans ce texte et justifiez l'orthographe de chacun d'eux.

Vous avez sans doute noté qu'il y a deux graphies possibles des mots que vous avez relevés.

 **RÈGLE**

Quelquefois s'écrit en un seul mot quand il a le sens de **parfois**. Il est alors adverbe de quantité.

> **Ex.:** *Il est bien agréable, **quelquefois** (parfois), de souper au restaurant.*

Quelques fois s'écrit en deux mots quand il a le sens de **plusieurs fois**. **Quelques** est alors adjectif indéfini et s'accorde avec le nom qu'il détermine: **fois**.

> **Ex.: *Quelques fois** (plusieurs fois) par mois, ils soupent au restaurant.*

POUR APPLIQUER LA RÈGLE

a) **Choisissez *quelquefois* ou *quelques fois* pour compléter les phrases suivantes.**
   1. Yolande est . . . perturbée par le bruit que font les voisins.
   2. Robert se plaît à lancer des balles de base-ball . . . par semaine.
   3. Chantale et Annie ont plusieurs amis chacune et sont embêtées . . . quand elles doivent accepter les invitations qu'elles reçoivent.
   4. Lucille et Pierre, en compagnie de leurs enfants Julie et Pierre-Luc, vont . . . par année en Floride, pour une semaine ou deux.
   5. Thérèse et Richard vont . . . à Chibougamau pour rencontrer leurs parents.
   6. Cette année, Claude et Hélène ont assisté . . . à des représentations de pièces de théâtre tirées du répertoire québécois ou étranger.
   7. Sammy et Gladys, qui se sont connus lors d'un bal, se retrouvent . . . par mois au restaurant pour un petit souper en tête à tête.
   8. Anita et Miguel, deux Argentins d'origine, sont . . . déçus de ne pas parler mieux le français.

b) **Composez trois phrases dans lesquelles vous emploierez le mot *quelquefois*.**

c) **Composez trois phrases dans lesquelles vous emploierez l'expression *quelques fois*.**

TABLEAU DES CONJUGAISONS

ÊTRE

INDICATIF

Présent	Passé composé	Futur simple
je suis	j' ai été	je serai
tu es	tu as été	tu seras
il est	il a été	il sera
nous sommes	nous avons été	nous serons
vous êtes	vous avez été	vous serez
ils sont	ils ont été	ils seront

Imparfait	Plus-que-parfait	Futur antérieur
j' étais	j' avais été	j' aurai été
tu étais	tu avais été	tu auras été
il était	il avait été	il aura été
nous étions	nous avions été	nous aurons été
vous étiez	vous aviez été	vous aurez été
ils étaient	ils avaient été	ils auront été

Passé simple	Passé antérieur
je fus	j' eus été
tu fus	tu eus été
il fut	il eut été
nous fûmes	nous eûmes été
vous fûtes	vous eûtes été
ils furent	ils eurent été

CONDITIONNEL

Présent

je serais
tu serais
il serait
nous serions
vous seriez
ils seraient

Passé 1re forme

j' aurais été
tu aurais été
il aurait été
nous aurions été
vous auriez été
ils auraient été

Passé 2e forme

j' eusse été
tu eusses été
il eût été
nous eussions été
vous eussiez été
ils eussent été

SUBJONCTIF

Présent	Passé
que je sois	que j' aie été
que tu sois	que tu aies été
qu'il soit	qu'il ait été
que nous soyons	que nous ayons été
que vous soyez	que vous ayez été
qu'ils soient	qu'ils aient été

Imparfait

que je fusse
que tu fusses
qu'il fût
que nous fussions
que vous fussiez
qu'ils fussent

Plus-que-parfait

que j' eusse été
que tu eusses été
qu'il eût été
que nous eussions été
que vous eussiez été
qu'ils eussent été

IMPÉRATIF

Présent	Passé
sois	aie été
soyons	ayons été
soyez	ayez été

INFINITIF

Présent	Passé
être	avoir été

PARTICIPE

Présent	Passé
étant	été
	ayant été

AVOIR

INDICATIF

Présent	Passé composé	Futur simple
j' ai	j' ai eu	j' aurai
tu as	tu as eu	tu auras
il a	il a eu	il aura
nous avons	nous avons eu	nous aurons
vous avez	vous avez eu	vous aurez
ils ont	ils ont eu	ils auront

Imparfait	Plus-que-parfait	Futur antérieur
j' avais	j' avais eu	j' aurai eu
tu avais	tu avais eu	tu auras eu
il avait	il avait eu	il aura eu
nous avions	nous avions eu	nous aurons eu
vous aviez	vous aviez eu	vous aurez eu
ils avaient	ils avaient eu	ils auront eu

Passé simple	Passé antérieur
j' eus	j' eus eu
tu eus	tu eus eu
il eut	il eut eu
nous eûmes	nous eûmes eu
vous eûtes	vous eûtes eu
ils eurent	ils eurent eu

CONDITIONNEL

Présent
j' aurais
tu aurais
il aurait
nous aurions
vous auriez
ils auraient

Passé 1re forme
j' aurais eu
tu aurais eu
il aurait eu
nous aurions eu
vous auriez eu
ils auraient eu

Passé 2e forme
j' eusse eu
tu eusses eu
il eût eu
nous eussions eu
vous eussiez eu
ils eussent eu

SUBJONCTIF

Présent	Passé
que j' aie	que j' aie eu
que tu aies	que tu aies eu
qu'il ait	qu'il ait eu
que nous ayons	que nous ayons eu
que vous ayez	que vous ayez eu
qu'ils aient	qu'ils aient eu

Imparfait
que j' eusse
que tu eusses
qu'il eût
que nous eussions
que vous eussiez
qu'ils eussent

Plus-que-parfait
que j' eusse eu
que tu eusses eu
qu'il eût eu
que nous eussions eu
que vous eussiez eu
qu'ils eussent eu

IMPÉRATIF

Présent	Passé
aie	aie eu
ayons	ayons eu
ayez	ayez eu

INFINITIF

Présent	Passé
avoir	avoir eu

PARTICIPE

Présent	Passé
	eu, eue
ayant	ayant eu

AIMER

INDICATIF

Présent	Passé composé	Futur simple
j' aime	j' ai aimé	j' aimerai
tu aimes	tu as aimé	tu aimeras
il aime	il a aimé	il aimera
nous aimons	nous avons aimé	nous aimerons
vous aimez	vous avez aimé	vous aimerez
ils aiment	ils ont aimé	ils aimeront

Imparfait	Plus-que-parfait	Futur antérieur
j' aimais	j' avais aimé	j' aurai aimé
tu aimais	tu avais aimé	tu auras aimé
il aimait	il avait aimé	il aura aimé
nous aimions	nous avions aimé	nous aurons aimé
vous aimiez	vous aviez aimé	vous aurez aimé
ils aimaient	ils avaient aimé	ils auront aimé

Passé simple	Passé antérieur
j' aimai	j' eus aimé
tu aimas	tu eus aimé
il aima	il eut aimé
nous aimâmes	nous eûmes aimé
vous aimâtes	vous eûtes aimé
ils aimèrent	ils eurent aimé

CONDITIONNEL

SUBJONCTIF

Présent	Présent	Passé
j' aimerais	que j' aime	que j' aie aimé
tu aimerais	que tu aimes	que tu aies aimé
il aimerait	qu'il aime	qu'il ait aimé
nous aimerions	que nous aimions	que nous ayons aimé
vous aimeriez	que vous aimiez	que vous ayez aimé
ils aimeraient	qu'ils aiment	qu'ils aient aimé

Passé 1re forme	Imparfait
j' aurais aimé	que j' aimasse
tu aurais aimé	que tu aimasses
il aurait aimé	qu'il aimât
nous aurions aimé	que nous aimassions
vous auriez aimé	que vous aimassiez
ils auraient aimé	qu'ils aimassent

Passé 2e forme	Plus-que-parfait
j' eusse aimé	que j' eusse aimé
tu eusses aimé	que tu eusses aimé
il eût aimé	qu'il eût aimé
nous eussions aimé	que nous eussions aimé
vous eussiez aimé	que vous eussiez aimé
ils eussent aimé	qu'ils eussent aimé

IMPÉRATIF

INFINITIF

PARTICIPE

Présent	Passé	Présent	Passé	Présent	Passé
aime	aie aimé				aimé, ée
aimons	ayons aimé	aimer	avoir aimé	aimant	ayant aimé
aimez	ayez aimé				

FINIR

INDICATIF

Présent	Passé composé	Futur simple
je finis	j' ai fini	je finirai
tu finis	tu as fini	tu finiras
il finit	il a fini	il finira
nous finissons	nous avons fini	nous finirons
vous finissez	vous avez fini	vous finirez
ils finissent	ils ont fini	ils finiront

Imparfait	Plus-que-parfait	Futur antérieur
je finissais	j' avais fini	j' aurai fini
tu finissais	tu avais fini	tu auras fini
il finissait	il avait fini	il aura fini
nous finissions	nous avions fini	nous aurons fini
vous finissiez	vous aviez fini	vous aurez fini
ils finissaient	ils avaient fini	ils auront fini

Passé simple	Passé antérieur
je finis	j' eus fini
tu finis	tu eus fini
il finit	il eut fini
nous finîmes	nous eûmes fini
vous finîtes	vous eûtes fini
ils finirent	ils eurent fini

CONDITIONNEL

Présent

je finirais	
tu finirais	
il finirait	
nous finirions	
vous finiriez	
ils finiraient	

Passé 1re forme

j' aurais fini	
tu aurais fini	
il aurait fini	
nous aurions fini	
vous auriez fini	
ils auraient fini	

Passé 2e forme

j' eusse fini	
tu eusses fini	
il eût fini	
nous eussions fini	
vous eussiez fini	
ils eussent fini	

SUBJONCTIF

Présent	Passé
que je finisse	que j' aie fini
que tu finisses	que tu aies fini
qu'il finisse	qu'il ait fini
que nous finissions	que nous ayons fini
que vous finissiez	que vous ayez fini
qu'ils finissent	qu'ils aient fini

Imparfait

que je finisse	
que tu finisses	
qu'il finît	
que nous finissions	
que vous finissiez	
qu'ils finissent	

Plus-que-parfait

que j' eusse fini	
que tu eusses fini	
qu'il eût fini	
que nous eussions fini	
que vous eussiez fini	
qu'ils eussent fini	

IMPÉRATIF

Présent	Passé
finis	aie fini
finissons	ayons fini
finissez	ayez fini

INFINITIF

Présent	Passé
finir	avoir fini

PARTICIPE

Présent	Passé
finissant	fini, ie
	ayant fini

SENTIR

INDICATIF

Présent	Passé composé	Futur simple
je sens	j' ai senti	je sentirai
tu sens	tu as senti	tu sentiras
il sent	il a senti	il sentira
nous sentons	nous avons senti	nous sentirons
vous sentez	vous avez senti	vous sentirez
ils sentent	ils ont senti	ils sentiront

Imparfait	Plus-que-parfait	Futur antérieur
je sentais	j' avais senti	j' aurai senti
tu sentais	tu avais senti	tu auras senti
il sentait	il avait senti	il aura senti
nous sentions	nous avions senti	nous aurons senti
vous sentiez	vous aviez senti	vous aurez senti
ils sentaient	ils avaient senti	ils auront senti

Passé simple	Passé antérieur
je sentis	j' eus senti
tu sentis	tu eus senti
il sentit	il eut senti
nous sentîmes	nous eûmes senti
vous sentîtes	vous eûtes senti
ils sentirent	ils eurent senti

CONDITIONNEL

Présent
je sentirais
tu sentirais
il sentirait
nous sentirions
vous sentiriez
ils sentiraient

Passé 1re forme
j' aurais senti
tu aurais senti
il aurait senti
nous aurions senti
vous auriez senti
ils auraient senti

Passé 2e forme
j' eusse senti
tu eusses senti
il eût senti
nous eussions senti
vous eussiez senti
ils eussent senti

SUBJONCTIF

Présent	Passé
que je sente	que j' aie senti
que tu sentes	que tu aies senti
qu'il sente	qu'il ait senti
que nous sentions	que nous ayons senti
que vous sentiez	que vous ayez senti
qu'ils sentent	qu'ils aient senti

Imparfait
que je sentisse
que tu sentisses
qu'il sentît
que nous sentissions
que vous sentissiez
qu'ils sentissent

Plus-que-parfait
que j' eusse senti
que tu eusses senti
qu'il eût senti
que nous eussions senti
que vous eussiez senti
qu'ils eussent senti

IMPÉRATIF

Présent	Passé
sens	aie senti
sentons	ayons senti
sentez	ayez senti

INFINITIF

Présent	Passé
sentir	avoir senti

PARTICIPE

Présent	Passé
sentant	senti, ie
	ayant senti

POUVOIR

INDICATIF

Présent	Passé composé	Futur simple
je peux ou je puis	j' ai pu	je pourrai
tu peux	tu as pu	tu pourras
il peut	il a pu	il pourra
nous pouvons	nous avons pu	nous pourrons
vous pouvez	vous avez pu	vous pourrez
ils peuvent	ils ont pu	ils pourront

Imparfait	Plus-que-parfait	Futur antérieur
je pouvais	j' avais pu	j' aurai pu
tu pouvais	tu avais pu	tu auras pu
il pouvait	il avait pu	il aura pu
nous pouvions	nous avions pu	nous aurons pu
vous pouviez	vous aviez pu	vous aurez pu
ils pouvaient	ils avaient pu	ils auront pu

Passé simple	Passé antérieur
je pus	j' eus pu
tu pus	tu eus pu
il put	il eut pu
nous pûmes	nous eûmes pu
vous pûtes	vous eûtes pu
ils purent	ils eurent pu

CONDITIONNEL

Présent

je	pourrais
tu	pourrais
il	pourrait
nous	pourrions
vous	pourriez
ils	pourraient

Passé 1re forme

j'	aurais pu
tu	aurais pu
il	aurait pu
nous	aurions pu
vous	auriez pu
ils	auraient pu

Passé 2e forme

j'	eusse pu
tu	eusses pu
il	eût pu
nous	eussions pu
vous	eussiez pu
ils	eussent pu

SUBJONCTIF

Présent	Passé
que je puisse	que j' aie pu
que tu puisses	que tu aies pu
qu'il puisse	qu'il ait pu
que nous puissions	que nous ayons pu
que vous puissiez	que vous ayez pu
qu'ils puissent	qu'ils aient pu

Imparfait

que je	pusse
que tu	pusses
qu'il	pût
que nous	pussions
que vous	pussiez
qu'ils	pussent

Plus-que-parfait

que j'	eusse pu
que tu	eusses pu
qu'il	eût pu
que nous	eussions pu
que vous	eussiez pu
qu'ils	eussent pu

IMPÉRATIF

Présent

pas d'impératif

INFINITIF

Présent	Passé
pouvoir	avoir pu

PARTICIPE

Présent	Passé
pouvant	pu ayant pu

FAIRE

INDICATIF

Présent	Passé composé	Futur simple
je fais	j' ai fait	je ferai
tu fais	tu as fait	tu feras
il fait	il a fait	il fera
nous faisons	nous avons fait	nous ferons
vous faites	vous avez fait	vous ferez
ils font	ils ont fait	ils feront

Imparfait	Plus-que-parfait	Futur antérieur
je faisais	j' avais fait	j' aurai fait
tu faisais	tu avais fait	tu auras fait
il faisait	il avait fait	il aura fait
nous faisions	nous avions fait	nous aurons fait
vous faisiez	vous aviez fait	vous aurez fait
ils faisaient	ils avaient fait	ils auront fait

Passé simple	Passé antérieur
je fis	j' eus fait
tu fis	tu eus fait
il fit	il eut fait
nous fîmes	nous eûmes fait
vous fîtes	vous eûtes fait
ils firent	ils eurent fait

CONDITIONNEL / SUBJONCTIF

CONDITIONNEL	SUBJONCTIF	
Présent	**Présent**	**Passé**
je ferais	que je fasse	que j' aie fait
tu ferais	que tu fasses	que tu aies fait
il ferait	qu'il fasse	qu'il ait fait
nous ferions	que nous fassions	que nous ayons fait
vous feriez	que vous fassiez	que vous ayez fait
ils feraient	qu'ils fassent	qu'ils aient fait

Passé 1re forme	Imparfait

Passé 1re forme	Imparfait
j' aurais fait	que je fisse
tu aurais fait	que tu fisses
il aurait fait	qu'il fît
nous aurions fait	que nous fissions
vous auriez fait	que vous fissiez
ils auraient fait	qu'ils fissent

Passé 2e forme	Plus-que-parfait
j' eusse fait	que j' eusse fait
tu eusses fait	que tu eusses fait
il eût fait	qu'il eût fait
nous eussions fait	que nous eussions fait
vous eussiez fait	que vous eussiez fait
ils eussent fait	qu'ils eussent fait

IMPÉRATIF / INFINITIF / PARTICIPE

IMPÉRATIF		INFINITIF		PARTICIPE	
Présent	**Passé**	**Présent**	**Passé**	**Présent**	**Passé**
fais	aie fait	faire	avoir fait		fait, faite
faisons	ayons fait			faisant	ayant fait
faites	ayez fait				

PRENDRE

INDICATIF

Présent

je	prends
tu	prends
il	prend
nous	prenons
vous	prenez
ils	prennent

Passé composé

j'	ai	pris
tu	as	pris
il	a	pris
nous	avons	pris
vous	avez	pris
ils	ont	pris

Futur simple

je	prendrai
tu	prendras
il	prendra
nous	prendrons
vous	prendrez
ils	prendront

Imparfait

je	prenais
tu	prenais
il	prenait
nous	prenions
vous	preniez
ils	prenaient

Plus-que-parfait

j'	avais	pris
tu	avais	pris
il	avait	pris
nous	avions	pris
vous	aviez	pris
ils	avaient	pris

Futur antérieur

j'	aurai	pris
tu	auras	pris
il	aura	pris
nous	aurons	pris
vous	aurez	pris
ils	auront	pris

Passé simple

je	pris
tu	pris
il	prit
nous	prîmes
vous	prîtes
ils	prirent

Passé antérieur

j'	eus	pris
tu	eus	pris
il	eut	pris
nous	eûmes	pris
vous	eûtes	pris
ils	eurent	pris

CONDITIONNEL

Présent

je	prendrais
tu	prendrais
il	prendrait
nous	prendrions
vous	prendriez
ils	prendraient

Passé 1re forme

j'	aurais	pris
tu	aurais	pris
il	aurait	pris
nous	aurions	pris
vous	auriez	pris
ils	auraient	pris

Passé 2e forme

j'	eusse	pris
tu	eusses	pris
il	eût	pris
nous	eussions	pris
vous	eussiez	pris
ils	eussent	pris

SUBJONCTIF

Présent

que je	prenne
que tu	prennes
qu'il	prenne
que nous	prenions
que vous	preniez
qu'ils	prennent

Passé

que j'	aie	pris
que tu	aies	pris
qu'il	ait	pris
que nous	ayons	pris
que vous	ayez	pris
qu'ils	aient	pris

Imparfait

que je	prisse
que tu	prisses
qu'il	prît
que nous	prissions
que vous	prissiez
qu'ils	prissent

Plus-que-parfait

que j'	eusse	pris
que tu	eusses	pris
qu'il	eût	pris
que nous	eussions	pris
que vous	eussiez	pris
qu'ils	eussent	pris

IMPÉRATIF

Présent

prends
prenons
prenez

Passé

aie	pris
ayons	pris
ayez	pris

INFINITIF

Présent

prendre

Passé

avoir pris

PARTICIPE

Présent

prenant

Passé

pris, prise
ayant pris

LA CONJUGAISON PASSIVE

INDICATIF

Présent

je	suis	aimé
tu	es	aimé
il	est	aimé
nous	sommes	aimés
vous	êtes	aimés
ils	sont	aimés

Passé composé

j'	ai	été aimé
tu	as	été aimé
il	a	été aimé
nous	avons	été aimés
vous	avez	été aimés
ils	ont	été aimés

Futur simple

je	serai	aimé
tu	seras	aimé
il	sera	aimé
nous	serons	aimés
vous	serez	aimés
ils	seront	aimés

Imparfait

j'	étais	aimé
tu	étais	aimé
il	était	aimé
nous	étions	aimés
vous	étiez	aimés
ils	étaient	aimés

Plus-que-parfait

j'	avais	été aimé
tu	avais	été aimé
il	avait	été aimé
nous	avions	été aimés
vous	aviez	été aimés
ils	avaient	été aimés

Futur antérieur

j'	aurai	été aimé
tu	auras	été aimé
il	aura	été aimé
nous	aurons	été aimés
vous	aurez	été aimés
ils	auront	été aimés

Passé simple

je	fus	aimé
tu	fus	aimé
il	fut	aimé
nous	fûmes	aimés
vous	fûtes	aimés
ils	furent	aimés

Passé antérieur

j'	eus	été aimé
tu	eus	été aimé
il	eut	été aimé
nous	eûmes	été aimés
vous	eûtes	été aimés
ils	eurent	été aimés

CONDITIONNEL

Présent

Je	serais	aimé
tu	serais	aimé
il	serait	aimé
nous	serions	aimés
vous	seriez	aimés
ils	seraient	aimés

Passé 1re forme

j'	aurais	été aimé
tu	aurais	été aimé
il	aurait	été aimé
nous	aurions	été aimés
vous	auriez	été aimés
ils	auraient	été aimés

Passé 2e forme

j'	eusse	été aimé
tu	eusses	été aimé
il	eût	été aimé
nous	eussions	été aimés
vous	eussiez	été aimés
ils	eussent	été aimés

SUBJONCTIF

Présent

que je	sois	aimé
que tu	sois	aimé
qu'il	soit	aimé
que nous	soyons	aimés
que vous	soyez	aimés
qu'ils	soient	aimés

Passé

que j'	aie	été aimé
que tu	aies	été aimé
qu'il	ait	été aimé
que nous	ayons	été aimés
que vous	ayez	été aimés
qu'ils	aient	été aimés

Imparfait

que je	fusse	aimé
que tu	fusses	aimé
qu'il	fût	aimé
que nous	fussions	aimés
que vous	fussiez	aimés
qu'ils	fussent	aimés

Plus-que-parfait

que j'	eusse	été aimé
que tu	eusses	été aimé
qu'il	eût	été aimé
que nous	eussions	été aimés
que vous	eussiez	été aimés
qu'ils	eussent	été aimés

IMPÉRATIF

Présent

sois	aimé
soyons	aimés
soyez	aimés

INFINITIF

Présent	Passé
être aimé	avoir été aimé

PARTICIPE

Présent	Passé
	aimé, ée
étant aimé	ayant été aimé

LA CONJUGAISON PRONOMINALE

INDICATIF

Présent	Passé composé	Futur simple
je me souviens	je me suis souvenu	je me souviendrai
tu te souviens	tu t' es souvenu	tu te souviendras
il se souvient	il s' est souvenu	il se souviendra
nous nous souvenons	nous nous sommes souvenus	nous nous souviendrons
vous vous souvenez	vous vous êtes souvenus	vous vous souviendrez
ils se souviennent	ils se sont souvenus	ils se souviendront

Imparfait	Plus-que-parfait	Futur antérieur
je me souvenais	je m' étais souvenu	je me serai souvenu
tu te souvenais	tu t' étais souvenu	tu te seras souvenu
il se souvenait	il s' était souvenu	il se sera souvenu
nous nous souvenions	nous nous étions souvenus	nous nous serons souvenus
vous vous souveniez	vous vous étiez souvenus	vous vous serez souvenus
ils se souvenaient	ils s' étaient souvenus	ils se seront souvenus

Passé simple	Passé antérieur
je me souvins	je me fus souvenu
tu te souvins	tu te fus souvenu
il se souvint	il se fut souvenu
nous nous souvînmes	nous nous fûmes souvenus
vous vous souvîntes	vous vous fûtes souvenus
ils se souvinrent	ils se furent souvenus

CONDITIONNEL

Présent

je me souviendrais	
tu te souviendrais	
il se souviendrait	
nous nous souviendrions	
vous vous souviendriez	
ils se souviendraient	

Passé 1re forme

je me serais souvenu
tu te serais souvenu
il se serait souvenu
nous nous serions souvenus
vous vous seriez souvenus
ils se seraient souvenus

Passé 2e forme

je me fusse souvenu
tu te fusses souvenu
il se fût souvenu
nous nous fussions souvenus
vous vous fussiez souvenus
ils se fussent souvenus

SUBJONCTIF

Présent	Passé
que je me souvienne	que je me sois souvenu
que tu te souviennes	que tu te sois souvenu
qu'il se souvienne	qu'il se soit souvenu
que nous nous souvenions	que nous nous soyons souvenus
que vous vous souveniez	que vous vous soyez souvenus
qu'ils se souviennent	qu'ils se soient souvenus

Imparfait

que je me souvinsse
que tu te souvinsses
qu'il se souvînt
que nous nous souvinssions
que vous vous souvinssiez
qu'ils se souvinssent

Imparfait

que je me fusse souvenu
que tu te fusses souvenu
qu'il se fût souvenu
que nous nous fussions souvenus
que vous vous fussiez souvenus
qu'ils se fussent souvenus

IMPÉRATIF

Présent

souviens-toi
souvenons-nous
souvenez-vous

INFINITIF

Présent	Passé
se souvenir	s'être souvenu

PARTICIPE

Présent	Passé
se souvenant	s'étant souvenu

INDEX

A

a (homophone de *à*), 212
à (homophone de *a*), 212
abréviations, 59
absoudre (les verbes qui se terminent par-*soudre*), 157
accord
    l'~ de l'adjectif, 179
    l'~ de l'adjectif composé, 186
    l'~ du participe passé
        employé avec *avoir* et suivi d'un infinitif, 120
        employé avec *avoir* précédé d'un pronom personnel, 114
        employé avec *avoir* sans complément d'objet, 113
        employé avec les verbes pronominaux, 123
        employé dans des cas particuliers, 127
        employé seul ou avec *être, paraître, sembler, devenir, rester,* 112
    l'~ du verbe
        le sujet est encadré par l'expression *c'est . . . qui,* 94
        le sujet est le pronom démonstratif *ce* ou *c',* 109
        le sujet est le pronom indéfini *on,* 87
        le sujet est le pronom relatif *qui,* 93
        le sujet est séparé du verbe par une apposition ou par une
          proposition relative, 89
        le sujet est séparé du verbe par un pronom personnel, 85
        le sujet est un nom collectif ou un adverbe de quantité suivis
          d'un complément, 98
        le sujet est un nom collectif sans complément, 91
        le sujet suit le verbe, 96
        les sujets sont joints par *ainsi que, comme, aussi bien que,*
          autant que, de même que, etc., 107
        les sujets sont joints par *ou* ou par *ni,* 105
        plusieurs sujets de personnes différentes, 92
accroître (les verbes qui se terminent par -*oître*), 155
acquérir (l'orthographe d'~), 144, 146
adjectif(s), 178
    l'accord de l'~, 179
    l'accord des ~ composés, 186
    la graphie du son *é* à la fin d'un ~, 11
    la graphie du son *i* à la fin d'un ~, 13
    le pluriel des ~ qui se terminent par -*al,* 184
    le pluriel des ~ qui se terminent par -*au,* 183

le pluriel des ~ qui se terminent par -*eu*, 182

les ~ dans les noms propres, 50

les ~ démonstratifs

   ce (homophone de *se*), 214

   ces (homophone de *ses*), 216

   cet (homophone de *cette*), 215

   cette (homophone de *cet*), 215

les ~ désignant la couleur, 188

les ~ employés comme adverbes ou comme prépositions, 207

les ~ féminins qui se terminent par -*guë,* 185

les ~ possessifs

   leurs (homophone de *leur*), 236

   mes (homophone de *mais*), 220

   sa (homophone de *ça*), 226

   ses (homophone de *ces*), 216

   son (homophone de *sont*), 224

les ~ qui désignent une nationalité, 52

les ~ qui se terminent par -*et* et par -*c*, 181

demi, nu, vingt, cent, mille, 204

même, 202

possible, 199

quel, 195

quelque . . . quel que, 197

tel, 200

tout, 191

adverbe(s), 178

   l'~ de lieu *là* (homophone de *la* et de *l'a*), 228

   l'~ de quantité sujet du verbe, 98

   le participe passé précédé d'un ~ de quantité, 128

   les adjectifs et les participes passés employés comme ~, 129, 207

af- (les mots qui commencent par ~), 48

-ail (le pluriel des mots qui se terminent par~), 168

-ail(le) (les mots qui se terminent par ~), 24, 35

aimer (conjugaison), 259

ainsi que (sujets joints par ~), 107

-aître (les verbes qui se terminent par ~), 155

aj (la graphie du son ~), 24

-al (le pluriel des adjectifs qui se terminent par ~), 184

-al (le pluriel des noms qui se terminent par ~), 167

al- (les mots qui commencent par ~), 36

alinéa, 57

an (la graphie du son ~), 9

an- (les mots qui commencent par ~), 42

-ance (les mots qui se terminent par ~), 16

-ane (les mots qui se terminent par ~), 44

anse (la graphie du son ~), 16

ap- (les mots qui commencent par ~), 45

appeler (les verbes qui se terminent par -*eler*), 151

apposition

    l'accord du verbe quand le sujet est séparé du verbe par une ~, 89

    le mot en ~, 172

ar-(les mots qui commencent par ~), 38

-arer (les verbes qui se terminent par ~), 41

article (l'~ dans les noms de lieux), 51

asseoir(s') (l'orthographe de ~), 141, 146

at- (les mots qui commencent par ~), 33

-at (les mots qui se terminent par ~), 31

-ater(les verbes qui se terminent par ~), 32

attendu (le participe passé ~ employé comme préposition), 209

-au (le pluriel des adjectifs qui se terminent par ~), 183

-au (le pluriel des noms qui se terminent par ~), 166

aussi bien que (sujets joints par ~), 107

aussi tôt (homophone de *aussitôt*), 239

aussitôt (homophone de *aussi tôt*), 239

autant que (sujets joints par ~), 107

avoir

    a (homophone de *à*), 212

    conjugaison, 258

    l'a (homophone de *là* et de *la*), 228

    l'accord du participe passé avec ~

        avec un complément d'objet direct, 114, 116

        sans complément d'objet direct, 113

        suivi d'un infinitif, 120

    l'auxiliaire ~ à la forme négative, 76

    le subjonctif et l'impératif d'~, 135

    ont (homophone de *on*), 221

B

b (l'emploi de *m* devant ~), 26

bar- (les mots qui commencent par ~), 39

bas (l'adjectif ~ employé adverbialement), 208

bon (l'adjectif ~ employé adverbialement), 208
bouillir (l'orthographe de ~), 141, 146
bour- (les mots qui commencent par ~), 40

C

c
    le redoublement du ~, 27
    les adjectifs qui se terminent par ~, 181
    qu ou ~, 22

ç
    ~ dans les verbes qui se terminent par -cer, 149
    les mots qui s'écrivent avec ~, 20

c' ou **ce** (l'accord du verbe quand le sujet est le pronom
    démonstratif~), 109

ça (homophone de *sa*), 226

can- (les mots qui commencent par ~), 43

car- (les mots qui commencent par ~), 39

ce (homophone de *se*), 214

cent, 205

centaine de (l'accord du verbe quand le sujet est *une* ~), 100

-cer (les verbes qui se terminent par ~), 149

ces (homophone de *ses*), 216

c'est (homophone de *s'est*), 218

c'est . . . qui (l'accord du verbe quand le sujet est encadré par ~), 94

cet (homophone de *cette*), 215

cette (homophone de *cet*), 215

cher (l'adjectif ~ employé adverbialement), 208

-cieux (les adjectifs qui se terminent par ~), 21

clair (l'adjectif ~ employé adverbialement), 208

collectif
    l'accord du participe passé précédé d'un nom ~, 129
    l'accord du verbe quand le sujet est un nom ~ sans
        complément, 91
    l'accord du verbe quand le sujet est un nom ~ suivi d'un
        complément, 98

com- (les mots qui commencent par ~), 29

comme (sujets joints par ~), 107

complément du nom, 171

composés
    l'accord des adjectifs ~, 186
    le pluriel des noms ~, 173

compris (le participe passé ~ employé comme préposition), 209

conditionnel (le ~ de *mourir* et de *courir*), 137

conjugaison
    la ~ passive, 265
    la ~ pronominale, 266
coudre (l'orthographe de ~), 142, 146
couleur (les mots désignant la ~), 191
courir (le futur et le conditionnel de ~), 137
croître (les verbes qui se terminent par -*oître*), 155

D

dans (homophone de *d'en*), 241
d'avantage (homophone de *davantage*), 235
davantage (homophone de *d'avantage*), 235
de (la préposition ~ introduisant un complément du nom), 171
de même que (sujets joints par ~), 107
demi, 204
démonstratif
    l'accord du verbe quand le sujet est le pronom ~ *ce* ou *c'*, 109
    l'adjectif ~ *ce* (homophone de *se*), 214
d'en (homophone de *dans*), 241
der- (les mots qui commencent par ~), 40
deux-points, 55
devenir (l'accord du participe passé employé avec le verbe ~), 112
devoir (le participe passé du verbe ~), 132
dif- (les mots qui commencent par ~), 48
dizaine de (l'accord du verbe quand le sujet est *une* ~), 100
donc (homophone de *dont*), 242
dont (homophone de *donc*), 242
douzaine de (l'accord du verbe quand le sujet est *une* ~), 100
droit (l'adjectif ~ employé adverbialement), 208
du (homophone de *dû*), 132
dû (homophone de *du*), 132

E

é
    la graphie du son ~ à la fin d'un nom ou d'un adjectif, 11
    la graphie du son ~ à la fin d'un verbe, 72, 82
        ce verbe est précédé de l'auxiliaire *avoir* à la forme négative, 76
        ce verbe est précédé de l'auxiliaire *être* à la forme négative, 78
        ce verbe est précédé d'un autre verbe à la forme négative, 80
        ce verbe est précédé d'un autre verbe et d'un pronom
          personnel, 74

l'infinitif en -*er* ou le participe passé en ∼, 110

les noms qui se terminent par ∼ et par -*ée*, 170

é- (le préfixe ∼), 29

è (la graphie du son ∼), 10

ec- (les mots qui commencent par ∼), 28

ef (les mots qui contiennent ∼), 47

eil(le)

les adjectifs qui se terminent par ∼, 35

les noms qui se terminent par ∼, 24, 34

ej (la graphie du son ∼), 24

-el(le) (les adjectifs qui se terminent par ∼), 35

el- (les mots qui commencent par ∼), 36

-eler (les verbes qui se terminent par ∼), 36, 151

em- (les mots qui commencent par ∼), 29

employer (les verbes qui se terminent par -*yer*), 153

en (le participe passé précédé du pronom ∼), 128

en- (les mots qui commencent par ∼), 42

-ence (les mots qui se terminent par ∼), 16

-ene (les mots qui se terminent par ∼), 44

-ens (les mots qui se terminent par ∼), 16

-ense (les mots qui se terminent par ∼), 16

entendu (le participe passé ∼ employé comme préposition), 209

er- (les mots qui commencent par ∼), 38

-er (l'infinitif en ∼ ou le participe passé en -*é*), 110

-et (les adjectifs qui se terminent par ∼), 181

et- (les mots qui commencent par ∼), 33

-et (les mots qui se terminent par ∼), 31

-eter (les verbes qui se terminent par ∼), 32, 151

être

conjugaison, 257

l'accord du participe passé employé avec ∼, 112

l'auxiliaire ∼ à la forme négative, 78

le subjonctif et l'impératif d'∼, 135

s'est (homophone de *c'est*), 218

sont (homophone de *son*), 224

ette (les mots qui se terminent par le son ∼), 32

-ette (le suffixe ∼), 32

-eu

le pluriel des adjectifs qui se terminent par ∼, 182

le pluriel des noms qui se terminent par ∼, 165

-euil(le) (les mots qui se terminent par ∼), 24, 35

excepté (le participe passé ∼ employé comme préposition), 209

F

f (le redoublement du ~), 47
faire, 134
    conjugaison, 263
faux (l'adjectif ~ employé adverbialement), 208
-fe (les mots qui se terminent par ~), 48
-fle (les mots qui se terminent par ~), 48
féminin(s)
    le masculin et le ~ des noms, 160
    les adjectifs ~ qui se terminent par -*guë*, 185
finale (la ~ des verbes), 67
finir (conjugaison), 260
fort (l'adjectif ~ employé adverbialement), 208
futur (le ~ de *mourir* et de *courir*), 137

G

-ger (les verbes qui se terminent par ~), 150
graphie
    la ~ des sons *gu . . . g* et *qu . . . c*, 22
    la ~ du son *aj, 24*
    la ~ du son *anse*, 16
    la ~ du son *é* à la fin d'un nom ou d'un adjectif, 11
    la ~ du son *é* à la fin d'un verbe, 73, 82
        ce verbe est précédé de l'auxiliaire *avoir* à la forme négative, 76
        ce verbe est précédé de l'auxiliaire *être* à la forme négative, 78
        ce verbe est précédé d'un autre verbe à la forme négative, 80
        ce verbe est précédé d'un autre verbe et d'un pronom
           personnel, 74
    la ~ du son *è*, 10
    la ~ du son *i* à la fin d'un nom ou d'un adjectif, 13
    la ~ du son *i* à la fin d'un verbe, 72
    la ~ du son *in*, 15
    la ~ du son *s*, 20
    la ~ du son *sion*, 18
gu . . . g (la graphie du son ~), 22
-guant (le participe présent en ~), 23
-guë (les adjectifs féminins qui se terminent par ~), 185
guillemets , 58

H

h (les mots qui commencent par ~), 49
haut (l'adjectif ~ employé adverbialement), 208
homophones, 71

    a . . . à, 212
    aussitôt . . . aussi tôt, 239
    ça . . . sa, 226
    ce . . . se, 214
    cet . . . cette, 215
    ces . . . ses, 216
    c'est . . . s'est, 218
    dans . . . d'en, 241
    d'avantage . . . davantage, 235
    donc . . . dont, 242
    là . . . la . . . l'a, 228
    leur . . . leurs, 236
    mais . . . mes, 220
    on . . . ont, 221
    où . . . ou, 230
    parce que . . . par ce que, 245
    peu . . . peux . . . peut, 232
    plutôt . . . plus tôt, 238
    près . . . prêt, 237
    quand . . . quant . . . qu'en, 243
    quelle . . . qu'elle, 249
    quelque . . . quel que, 252
    quelquefois . . . quelques fois, 255
    quoique . . . quoi que, 247
    sans . . . s'en, 240
    son . . . sont, 224
    sûr . . . sur, 234

I

i
    la graphie du son ~ à la fin d'un nom ou d'un adjectif, 13
    la graphie du son ~ à la fin d'un verbe, 72
    le préfixe négatif ~, 36
-ier (le suffixe ~), 12
ij (la graphie du son ~), 24, 35
il (les adjectifs qui se terminent par le son ~), 35
il- (les mots qui commencent par ~), 36
-ille (les mots qui se terminent par ~), 24, 35

im- (le préfixe négatif ~), 30
im- (les mots qui commencent par ~), 29
impératif (l'~ d'*être* et d'*avoir*), 135
impersonnels (le participe passé des verbes ~), 128
-indre (les verbes qui se terminent par ~), 157
-ine (les mots qui se terminent par ~), 44
infinitif
 l'accord du participe passé employé avec *avoir* et suivi
  d'un ~, 120, 128
 l'~ en -*er* ou le participe passé en -*é*, 110
intransitifs (le participe passé des verbes ~), 127
ir- (les mots qui commencent par ~), 38

K

k (le son ~), 22, 27

J

jeter (les verbes qui se terminent par -*eter*), 151
joindre (les verbes qui se terminent par -*indre*), 157

L

l (le redoublement du ~), 34
l'a (homophone de *là* et de *la*), 228
la (homophone de *l'a* et de *là*), 228
là (homophone de *l'a* et de *la*), 228
le(l') (le participe passé précédé de ~ signifiant *cela*), 128
lettres surélevées (~ dans les abréviations), 63
leur (homophone de *leurs*), 236
leurs (homophone de *leur*), 236
lever (l'orthographe de ~), 138
lieux
 l'article dans les noms de ~, 51
 les noms de ~, 50

M

m
 l'emploi de ~ devant m, p et b, 26
 le redoublement du ~, 29
mais (homophone de *mes*), 220

majuscule

la ~ dans les abréviations et les symboles, 59

la ~ dans les noms de peuples, 52

la ~ dans les noms propres, 50

la ~ dans les sigles, 63

mar- (les mots qui commencent par ~), 39

masculin (le ~ et le féminin des noms), 160

même (adjectif ou adverbe), 202

même que (de) (sujets joints par ~), 107

mes (homophone de *mais*), 220

mesures anglaises (les symboles représentant les ~), 62

mesures métriques (les symboles représentant les ~), 62

mille, 205

minuscule

la ~ dans les abréviations et les symboles, 59

la ~ dans les noms de lieux, 50

la ~ dans les noms de peuples, 52

moins de deux (l'accord du verbe quand le sujet est ~), 101

moitié de (l'accord du verbe quand le sujet est *la* ~), 100

mot(s)

le ~ en apposition, 172

le ~ qui commence à l'oral par une voyelle, 49

les ~ qui désignent la couleur, 188

les ~ qui se terminent par -é et par -ée, 170

mourir (le futur et le conditionnel de ~), 137

mouvoir (l'orthographe de ~), 145, 147

N

n (le redoublement du ~), 42

négation (les mots qui commencent par des préfixes signifiant la ~), 49

négative

la graphie du son é à la fin d'un verbe précédé d'*avoir* à la forme ~, 76

la graphie du son é à la fin d'un verbe précédé d'*être* à la forme ~, 78

la graphie du son é à la fin d'un verbe précédé d'un autre verbe à la forme ~, 80

ni (sujets joints par ~), 105

nom(s)

le complément du ~, 171

la graphie du son é à la fin d'un ~, 11

la graphie du son *i* à la fin d'un ~, 13
le masculin et le féminin des ~, 160
le mot en apposition, 172
le ~ collectif
    l'accord du participe passé précédé d'un ~ collectif, 129
    le ~ collectif sujet sans complément, 91
    le ~ collectif sujet suivi d'un complément, 98
le pluriel des ~, 162, 169
le pluriel des ~ qui se terminent par -*ail*, 168
le pluriel des ~ qui se terminent par -*al*, 167
le pluriel des ~ qui se terminent par -*au*, 166
le pluriel des ~ qui se terminent par -*eu*, 165
le pluriel des ~ qui se terminent par -*ou*, 164
les ~ composés, 173
les ~ de lieux, 50
les ~ de peuples, 52
les ~ propres
    le pluriel des ~ propres, 171
    les adjectifs dans les ~ propres, 50
    les majuscules dans les ~ propres, 50
les ~ qui se terminent par -*é* et par -*ée*, 170
nous (le complément du sujet est ~), 103
nu, 205

O

œj (la graphie du son ~), 24
of- (les mots qui commencent par ~), 48
-oître (les verbes qui se terminent par ~), 155
on
    l'accord du verbe quand le sujet est ~, 87
    homophone de *ont*, 221
one (les mots qui se terminent par le son ~), 44
ont (homophone de *on*), 221
-ope (les mots qui se terminent par ~), 46
or- (les mots qui commencent par ~), 38
oral (les mots qui commencent à l'~ par une voyelle, 49
ot- (les mots qui commencent par ~), 33
-ot (les mots qui se terminent par ~), 31
ôté (le participe passé ~ employé comme préposition), 209
-oter (les verbes qui se terminent par ~), 32
otte (les mots qui se terminent par le son ~), 32

ou
homophone de *où*, 230
sujets joints par ~, 105
-ou (le pluriel des noms qui se terminent par ~), 164
où (homophone de *ou*), 230
ouï (le participe passé ~ employé comme préposition), 209
-ouil(le) (les mots qui se terminent par ~), 25
-oupe (les mots qui se terminent par ~), 46
-ourir (les verbes qui se terminent par ~), 40

P

p
l'emploi de *m* devant ~, 26
le redoublement du ~, 45
paraître
l'accord du participe passé employé avec ~, 112
les verbes qui se terminent par -*aître*, 155
par ce que (homophone de *parce que*), 245
parce que (homophone de *par ce que*), 245
parenthèses, 58
participe(s) passé(s)
l'accord du ~
employé avec *avoir* et suivi d'un infinitif, 120
employé avec *avoir* précédé d'un pronom personnel, 114
employé avec *avoir* sans complément d'objet, 113
employé seul ou avec *être, paraître, sembler, devenir, rester*, 112
le ~ des verbes d'opinion (*dû, cru, pu, su, voulu, permis, pensé, prévu*, etc.), 129
le ~ des verbes impersonnels, 128
le ~ des verbes intransitifs, 127
le ~ des verbes pronominaux, 123
le ~ employé comme adverbe ou comme préposition, 209
le ~ en -*é* ou l'infinitif en -*er*, 110
le ~ précédé de *le (l')* signifiant *cela*, 128
le ~ précédé d'un adverbe de quantité, 128
le ~ précédé d'un nom collectif, 129
le ~ précédé du pronom *en*, 128
les ~ *attendu, vu, supposé, compris, excepté, passé, ci-annexé, ci-joint, ci-inclus*, 129
les ~ qui restent invariables, 130
participe présent (le ~ en -*quant* ou en -*guant*), 23
passive (la conjugaison ~), 265

payer (les verbes qui se terminent par -yer), 153
peindre (les verbes qui se terminent par -indre), 157
-per (les verbes qui se terminent par ~), 45
peu (homophone de peux et de peut), 232
peu de
    l'accord du participe passé précédé de ~, 129
    l'accord du verbe quand le sujet est ~, 101
peuples (les noms de ~), 52
peut (homophone de peu et de peux), 232
peux (homophone de peu et de peut), 232
plaindre (les verbes qui se terminent par -indre), 157
plein (l'adjectif ~ employé comme préposition), 207
plupart (l'accord du verbe quand le sujet est la ~), 100
pluriel
    le ~ dans les abréviations, 61
    le ~ des adjectifs qui se terminent par -al, 184
    le ~ des adjectifs qui se terminent par -au, 183
    le ~ des adjectifs qui se terminent par -eu, 182
    le ~ des noms, 162, 169
    le ~ des noms composés, 173
    le ~ des noms propres, 176
    le ~ des noms qui se terminent par -ail, 168
    le ~ des noms qui se terminent par -al, 167
    le ~ des noms qui se terminent par -au, 166
    le ~ des noms qui se terminent par -eu, 165
    le ~ des noms qui se terminent par -ou, 164
plus d'un (l'accord du verbe quand le sujet est ~), 101
plus tôt (homophone de plutôt), 238
plutôt (homophone de plus tôt), 238
point, 55
point abréviatif, 60, 61, 62, 63
point d'exclamation, 56
point d'interrogation, 56
points cardinaux, 51
points de l'horizon, 51
points de suspension, 56
point-virgule, 55
ponctuation, 54
possible, 199
pouvoir, 133
    conjugaison, 262
    peux, peut (homophones de peu), 232
    subjonctif de ~, 135
prendre (conjugaison), 264

préposition
la ~ à, 212
la ~ *dans*, 241
la ~ *de* introduisant un complément du nom, 171
la ~ *près de*, 237
la ~ *sans*, 240
la ~ *sur*, 234
les adjectifs et les participes passés employés comme ~, 207
près (homophone de *prêt*), 237
prêt (homophone de *près*), 237
proche (adjectif ou adverbe), 207
pronom(s)
le ~ démonstratif
   ça (homophone de *sa*), 226
   ce ou *c'* (sujet), 109
le ~ *en* précédant un participe passé, 128
le ~ indéfini
   le ~ indéfini *on*, 87, 221
   le ~ indéfini *tel*, 200
   le ~ indéfini *tout*, 191
le ~ personnel
   l'accord du participe passé avec *avoir* précédé d'un
     ~ personnel, 114
   l'accord du verbe quand le sujet est séparé du verbe
     par un ~ personnel, 85
   se (homophone de *ce*), 214
le ~ relatif
   le ~ relatif *dont* (homophone de *donc*), 242
   le ~ relatif *que* employé avec un participe passé, 119
   le ~ relatif *qui* sujet, 93
   le ~ relatif *où* (homophone de *ou*), 230
les ~ réfléchis dans les verbes pronominaux, 123
pronominale (la conjugaison ~), 266
pronominaux (l'accord du participe passé avec les verbes ~), 123
proposition relative (l'accord du verbe quand le sujet est séparé du verbe par une ~), 89

Q

qu (la graphie du son ~), 22
quand (homophone de *quant* et de *qu'en*), 243
quant (homophone de *quand* et de *qu'en*), 243
-quant (le participe présent en ~), 22
quart de (l'accord du verbe quand le sujet est *le* ~), 100

que (le pronom relatif ~ employé avec un participe passé), 119
quel, 195
qu'elle (homophone de *quelle*), 249
quelle (homophone de *qu'elle*), 249
quel que (homophone de *quelque*), 197, 252
quelque (homophone de *quel que*), 197, 252
quelque fois (homophone de *quelquefois*), 255
quelquefois (homophone de *quelques fois*), 255
qu'en (homophone de *quand* et de *quant*), 243
qui (l'accord du verbe quand le sujet est le pronom relatif ~), 93
quoi que (homophone de *quoique*), 247
quoique (homophone de *quoi que*), 247

R

r
le redoublement du ~, 38
le son ~ à la finale des mots, 40
raf- (les mots qui commencent par ~), 47
redoublement
le ~ du *c*, 27
le ~ du *f*, 47
le ~ du *l*, 34
le ~ du *m*, 29
le ~ du *n*, 42
le ~ du *p*, 45
le ~ du *r*, 38
le ~ du *t*, 31
relatif
le pronom ~ *dont* (homophone de *donc*), 242
le pronom ~ *que* (employé avec un participe passé), 119
le pronom ~ *qui* sujet, 93
le pronom ~ *où* (homophone de *ou*), 230
reste de (l'accord du sujet quand le verbe est *le* ~), 102
rester (l'accord du participe passé employé avec ~), 112
rompre (l'orthographe de ~), 143, 146

S

s (la graphie du son ~), 20
sa (homophone de *ça*), 226
sans (homophone de *s'en*), 240
sauf (l'adjectif ~ employé comme préposition), 207
se
homophone de *ce*, 214
le pronom réfléchi ~ dans les verbes pronominaux, 123

sec (l'adjectif ~ employé adverbialement), 208

sembler (l'accord du participe passé employé avec ~), 112

semer (l'orthographe de ~), 138

s'en (homophone de *sans*), 240

sentir (conjugaison), 261

ses (homophone de *ces*), 216

s'est (homophone de *c'est*), 218

sigle, 63

sion (la graphie du son ~), 18

son- (homophone de *sont*), 224

sont (homophone de *son*), 224

-soudre (les verbes qui se terminent par ~), 157

subjonctif

le ~ d'*être* et d'*avoir*, 135

le ~ de *vouloir* et de *pouvoir*, 135

sujet(s)

le ~ est encadré par l'expression *c'est . . . qui*, 94

le ~ est le pronom démonstratif *ce* ou *c'*, 109

le ~ est le pronom indéfini *on*, 87

le ~ est le pronom relatif *qui*, 93

le ~ est un nom collectif ou un adverbe de quantité suivis d'un complément, 98

le ~ est un nom collectif sans complément, 91

le ~ est séparé du verbe par une apposition ou par une proposition relative, 89

le ~ est séparé du verbe par un pronom personnel, 85

le ~ suit le verbe, 96

les ~ sont joints par *ainsi que, comme, aussi bien que, autant que, de même que,* etc., 107

les ~ sont joints par *ou* ou par *ni*, 105

plusieurs ~ de personnes différentes, 92

suf- (les mots qui commencent par ~), 48

supposé (le participe passé ~ employé comme préposition), 209

sur (homophone de *sûr*), 234

sûr (homophone de *sur*), 234

symboles (les abréviations et les ~), 59

T

t (le redoublement du ~), 31

tel (adjectif et pronom), 200

tiers de (l'accord du verbe quand le sujet est *le* ~), 100

-tieux (les adjectifs qui se terminent par ~), 21

-tion (les noms qui se terminent par ~), 18

tiret, 57
tout (adjectif, adverbe, nom ou pronom), 191
trait d'union
le ~ dans les adjectifs composés, 186
le ~ dans les noms composés, 173
tréma (les adjectifs qui se terminent par -*guë*), 185

U

-ueil(le) (les mots qui se terminent par ~), 25
uj (la graphie du son ~), 25
-ul(le) (les adjectifs qui se terminent par ~), 35
ut- (les mots qui commencent par ~), 33

V

vaincre (l'orthographe de ~), 139, 146
verbe(s)
l'accord du participe passé
employé avec *avoir* et suivi d'un infinitif, 120
employé avec *avoir* précédé d'un pronom personnel, 114
employé avec *avoir* sans complément d'objet, 113
employé seul ou avec *être, paraître, sembler, devenir, rester,* 112
les cas particuliers, 127
les ~ d'opinion, 121
les ~ impersonnels, 128
les ~ intransitifs, 127
les ~ pronominaux, 123
l'accord du ~
le sujet est encadré par l'expression *c'est . . . qui,* 94
le sujet est le pronom démonstratif *ce* ou *c',* 109
le sujet est le pronom indéfini *on,* 87
le sujet est le pronom relatif *qui,* 93
le sujet est un nom collectif ou un adverbe de quantité suivis d'un complément, 98
le sujet est un nom collectif sans complément, 91
le sujet est séparé du verbe par une apposition ou par une proposition relative, 89
le sujet est séparé du verbe par un pronom personnel, 85
le sujet suit le verbe, 96
les sujets sont joints par *ainsi que, comme, aussi bien que, autant que, de même que,* etc., 107
les sujets sont joints par *ou* ou par *ni,* 105
plusieurs sujets de personnes différentes, 92

la conjugaison des ~ être, avoir, aimer, finir, sentir, pouvoir, faire, prendre, 257 à 264

la finale des ~, 67

la graphie du son é à la fin d'un ~, 73, 82

    ce ~ est précédé de l'auxiliaire avoir à la forme négative, 76

    ce ~ est précédé de l'auxiliaire être à la forme négative, 78

    ce ~ est précédé d'un autre ~ à la forme négative, 80

    ce ~ est précédé d'un autre ~ et d'un pronom personnel, 74

la graphie du son i à la fin d'un ~, 72

le conditionnel de mourir et de courir, 137

le futur de mourir et de courir, 137

le subjonctif

    d'être et d'avoir, 135

    de vouloir et de pouvoir, 137

le ~ à la 2e personne du singulier, 69

le ~ à la 3e personne du singulier, 70

le ~ devoir, 132

le ~ faire, 134

le ~ pouvoir, 133

les homophones, 71

    a (homophone de à), 212

    c'est (homophone de s'est), 218

    l'a (homophone de la et de là), 228

    ont (homophone de on), 221

    s'est (homophone de c'est), 218

    sont (homophone de son), 224

les ~ qui se terminent par -aître et par -oître, 155

les ~ qui se terminent par -cer, 149

les ~ qui se terminent par -eler et par -eter, 151

les ~ qui se terminent par -ger, 150

les ~ qui se terminent par -soudre, 157

les ~ qui se terminent par -yer, 153

l'impératif d'être et d'avoir, 135

l'infinitif en -er ou le participe passé en -é, 110

l'orthographe des ~ comme semer, lever, etc., 138

l'orthographe des ~ comme vaincre, s'asseoir, bouillir, coudre, rompre, acquérir, mouvoir, 139

vingt, 205

virgule, 54

vouloir (le subjonctif de ~), 135

vous (le complément du sujet est ~), 103

voyelle (les mots commençant à l'oral par une ~), 49

vu (le participe passé ~ employé comme préposition), 209

X

x

les adjectifs qui prennent un ~ au pluriel, 182, 183, 184

les noms qui prennent un ~ au pluriel, 162, 164, 165, 166, 167, 168

Y

-yer (les verbes qui se terminent par ~), 153

Achevé d'imprimer
en l'an mil neuf cent quatre-vingt-huit
sur les presses des ateliers Guérin,
Montréal, Québec.

Achevé d'imprimer
en l'an mil neuf cent quatre-vingt-huit
sur les presses des ateliers Guérin,
Montréal, Québec.

EDUCATION

Date Due